자바를 이용한
영상처리 프로그래밍

자바를 이용한 영상처리 프로그래밍

발　행 | 2024년 8월 12일
저　자 | 류 석원
펴낸이 | 한건희
펴낸곳 | 주식회사 부크크
출판사등록 | 2014.07.15.(제2014-16호)
주　소 | 서울특별시 금천구 가산디지털1로 119 SK트윈타워 A동 305호
전　화 | 1670-8316
이메일 | info@bookk.co.kr

ISBN | 979-11-410-9947-3

www.bookk.co.kr

자바를 이용한
영상처리 프로그래밍

류 석원 지음

CONTENT

4차 산업시대에 각광을 받고 있는 인공지능은 오늘날 인간의 능력과 비슷하게 발전하고 있으며, 그 한계를 넘기 위해 인간은 인공지능 분야에 무한한 투자를 하고 있다. 이런 추세로 본다면, 앞으로 2030년쯤에는 인간의 한계를 넘는 범용 인공지능이 출현할 것이라고 한다. 이러한 인공지능 개발에 있어서 영상처리는 입력장치 개발에 제일 중요한 기능을 담당한다.

이 책은 현재 많은 개발자들이 사용하는 자바 프로그래밍 언어를 사용하여 디지털 형태의 이미지 효과를 구현하는 영상처리 프로그래밍 기법에 대해 설명한다. 이 책이 영상처리 분야에 관심을 가지는 개발자들에게 도움이 되기를 바란다.

柳 碩垣

Chapter 1. 자바 프로그래밍 언어

1. 객체지향 프로그래밍과 객체

객체지향 프로그래밍은 프로그램을 객체단위로 구성하는 방법이다. 다시 말해서, 객체지향 프로그래밍은 다양한 기능을 하는 객체들을 조합하여 자기가 원하는 기능을 구현하는 방법이다.

객체는 필드와 메소드로 구성되며, 이들을 멤버라고 한다. 객체안의 멤버 변수들을 필드라고 하며, 필드에 객체의 상태를 저장한다. 객체안의 멤버 함수들을 메소드라고 하며, 특정한 작업을 수행한다.

2. 객체지향 프로그램 언어의 특징

객체지향 프로그램 언어인 c++의 특징으로는 다음과 같이 다형성, 추상화, 켑슐화, 상속 등 4가지가 있다.

1) 다형성 (= Polymorphism) - 같은 이름의 함수들이 여러 개 존재한다. 그러나 매개변수들의 개수나 자료형이 모두 각각 달라야 한다.

2) 추상화 (= Abstraction) - 서로 연관된 변수들과 함수들을 모아 클래스 개념으로 정의하고 객체를 생성한다.

3) 켑슐화 (= Encapsulation) - 클래스 내에서 private과 public 명령어를 사용하여 외부에서 허가 받은 경우에만 접근할 수 있는 권한을 부여한다.

4) 상속성 (= Inheritance) - 자식 클래스에서 부모에 해당하는 상위 클래스의 멤버 변수들과 멤버 함수들을 물려받아 사용한다.

3. 객체를 생성하는 방법

예를 들어, Television 클래스에 속하는 SStv 객체를 생성하는 경우 아래의 두 단계를 거친다.

1 단계: 먼저 새로운 프로젝트 Exam11_Television을 만든다 〉 새로 만든 프로젝트 확장 〉 src 위에서 RMB click 〉 New 〉 Class 선택 〉 New Java Class window에서 〉 Name = Television 지정한다 〉 main() 없는 클래스를 만들기 위해서, public static void main(...)를 선택하지 않는다. 이 과정을 통해 Television 클래스를 먼저 만든다.

2 단계: 새로 만든 프로젝트 아래에 있는 src 위에서 RMB click 〉 New 〉 Class 선택 〉 New Java Class window에서 〉 Name = M_Exam11_Television 지정한다 〉 main() 있는 클래스를 만들기 위해서 public static void main(...)를 선택한다 〉 M_Exam11_Television 클래스의 main() 메소드에서 new를 사용하여 Television 클래스에 속하는 SStv 객체를 생성해야 한다.

Main() 함수에서는 아래의 2 종류 문장 형태를 사용하여 Television 클래스의 객체를 생성한다.

(1) Television SStv = new Television();   // SStv 객체를 선언과 동시에 생성한다. 또는

(2) Television LGtv;   // LGtv 객체를 선언한다
LGtv = new Television();   // Television 객체를 생성해서
                           // LGtv에 저장한다

결과적으로, 프로젝트 안에는 두 개의 클래스, Television 클래스와 M_Television 클래스가 존재하게 된다. 참고로, 객체의 필드나 메소드를 참조하려면, '.'을 사용한다.

4. 디폴트 함수 매개변수

디폴트 함수 매개변수 (= Default function parameter)는 멤버 함수 선언 시, 함수 매개변수에 초기값을 지정하는 것을 의미한다. 함수 호출시, 매개변수를 전달하면 그 값을 그대로 사용하고, 함수 호출 시, 매개변수를 전달하지 않으면 함수 선언 시에 지정한 초기값을 대신 사용한다. 함수 매개변수 선언 시, 자료형 앞에 const 붙이면 함수 내에서 해당 매개변수의 값을 변경할 수 없다. 디폴트 값은 함수 매개변수 리스트에서 오른쪽부터 시작해서 왼쪽 방향으로 지정해야 한다.

Function Overloading은 함수 반환형, 함수 매개변수의 개수나 자료형을 달리하여 함수 이름이 같은 여러 개의 함수를 정의하는 방법이다. 같은 이름의 여러 함수들을 구분하기 위해서, 함수 반환형, 함수 매개변수의 개수나 자료형을 다르게 사용한다.

5. Class

클래스 정의를 추상화 (Abstraction)이라고 한다. 클래스는 자료를 저장하는 변수들의 모임 + 자료를 처리하는 함수들의 모임이라고 할 수 있다. 그래서 클래스는 새로 선언된 자료형 틀이라고 할 수 있고, 클래스로 선언된 대상은 생성된 객체 (Object)라고 할 수 있다.

클래스에서 선언은 기본적으로 private 이다. 클래스에서 선언은 주로 변수들을 private으로 먼저 선언하고, 함수들은 public으로 나중에 선언한다. 그래서 함수들을 통해서 변수들의 값을 읽거나 수정한다. 이것을 캡슐화 (= Encapsulation)이라고 한다.

메소드는 클래스 안에서 클래스의 필드값을 변경하거나 외부로 내보내는 일과 같은 특정한 작업을 수행하는 함수이다. 메소드 안에서 필드를 사용할 때는 멤버 연산자인 '.'을 사용하지 않는다. 메소드의 반환형은 메소드가 반환하는 데이터의 자료형을 지정한다.

메소드 오버로딩은 같은 이름의 메소드를 여러 개 정의하는 것이다. 이 때, 각각의 메소드가 가지는 매개변수들의 개수나 자료형이 달라서 서로 구분되어야 한다. 메소드 오버로딩은 다형성을 구현하는 방법이다.

6. 접근제어 (Access Control)

접근 제어는 클래스의 멤버에 접근하는 것을 제어하는 것이다. public은 공용의 의미이며, 누구나 자유롭게 접근 할 수 있다. private은 전용의 의미이며, 클래스 안에서만 접근이 가능하다. protected는 나중에 상속에서 설명하기로 한다. 일반적으로, 멤버 변수인 필드에는 private을 사용하고, 멤버 함수인 메소드에는 public을 사용하여, 필드값을 읽거나 저장하도록 한다.

7. 생성자 (Constructor)

생성자는 객체가 생성될 때 객체를 초기화하는 특수한 메소드이다. 생성자의 이름은 클래스 이름과 같다. 생성자는 반환값을 가지지 않는다. 생성자의 이름 앞에는 아무 것도 붙이지 않는다. 생성자는 필드에 초기값을 부여할 때 사용한다.

생성자는 매개변수를 가지지 않을 수도 있고, 가질 수도 있다. 생성자가 매개변수를 가지지 않는 경우에는 생성자 안에서 필드의 값을 지정한다. 생성자가 매개변수를 가지는 경우에는 전달된 매개변수의 값으로 필드의 값을 지정한다. 참고로, C++와는 달리 자바에서는 소멸자가 따로 없다.

8. 상속 (Inheritance)

상속은 기존에 존재하는 클래스로부터 데이터와 기능들을 물려받은 후에 자신이 필요한 데이터와 기능들을 추가하는 기법이다.

특정 클래스를 상속하려면, class 자식_클래스_이름 extends 부모_클래스_이름 { . . . } 와 같이 자신의 클래스 이름 뒤에 extends 써주고 부모 클래스 이름을 적는다. 예를 들어, Television 클래스가 부모 클래스이고, OLED 클래스가 자식 클래스라면 아래와 같다.

```
class OLED extends Television {
    . . . ;
}
```

상속되는 것들은 다음과 같다. 부모 클래스의 필드와 메소드가 자식 클래스로 상속된다. 자식 클래스는 부모 클래스의 필드와 메소드를 자유롭게 사용할 수 있다. 자식 클래스는 필요에 따라 자신만의 필드와 메소드를 추가할 수 있으며, 부모 클래스에 이미 존재하는 메소드를 새롭게 정의하여 사용할 수도 있다. 참고로, 상속이 필요한 이유는 이미 존재하는 클래스의 필드와 메소드를 재사용할 수 있고, 상속을 사용해서 중복되는 코드를 줄일

수 있기 때문이다.

 상속에 관한 접근 제어에는 3가지 방법이 있다. 자식 클래스는 부모 클래스의 public, protected 멤버들을 상속 받지만, private 멤버는 상속 받지 못한다. 부모 클래스와 자식 클래스에서만 사용하는 멤버를 만들려면, 멤버 선언 시에 protected를 앞에 붙인다.

 메소드 오버라이딩은 부모 클래스의 메소드 중에서 필요한 것을 자식 클래스에서 다시 정의 하는 것이다. 이 때, 메소드의 이름과 매개변수 개수와 자료형, 반환형은 동일해야 하며, 단지 메소드 내부의 내용만 달라야 한다.

 super는 상속 관계에서 부모 클래스의 필드나 메소드를 참조하기 위해서 사용한다. 특히, 부모 클래스의 생성자를 명시적으로 호출하기 위해서 사용한다.

 상속에서 생성자의 호출 순서는 부모 클래스의 생성자가 먼저 호출되고, 자식 클래스의 생성자가 나중에 호출된다. 부모 클래스에서 상속된 부분을 먼저 초기화 한 뒤에 부모 클래스의 생성자 호출이 끝나면, 자식 클래스가 추가한 부분을 초기화하기 위해서 자식 클래스의 생성자가 실행된다. super를 사용하여 자식 클래스에서 명시적으로 부모 클래스의 생성자를 호출한다.

```java
// 첫 번째 Television 클래스
public class Television {
        private int channel;
```

```java
        private int volume;
        private boolean onoff;

        // 생성자 #1 - 매개변수가 없는 생성자
        Television(){
                channel = 10;
                volume = 20;
                onoff = true;
        }

        // 생성자 #2 - 매개변수가 있는 생성자
        Television(int pChannel, int pVolume, boolean pOnOff){
                channel = pChannel;
                volume = pVolume;
                onoff = pOnOff;
        }

        int GetChannel() {
                return channel;
        }

        void SetChannel(int pChannel) {
                if ((pChannel >= 0) && (pChannel <= 50)) {
                        channel = pChannel;
                        System.out.println("Channel has been
```

```java
                changed to " + channel);
        }
        else {
                System.out.println("Channel can not be
                changed to " + pChannel + " because of
                out of range [0..50].");
        }
}


int GetVolume() {
        return volume;
}


void SetVolume(int pVolume) {
        if ((pVolume >= 0) && (pVolume <= 100)) {
                volume = pVolume;
                System.out.println("Volume has been
                changed to " + volume);
        }
        else {
                System.out.println("Volume can not be
                changed to " + pVolume + " because of out
                of range [0..100].");
        }
}
```

```java
boolean GetOnOff() {
        return onoff;
}


void SetOnOff(boolean pOnOff) {
        onoff = pOnOff;
        if (pOnOff == true) {
                System.out.println("OnOff has been changed
                to On.");
        }
        else {
                System.out.println("OnOff has been changed
                 to Off.");
        }
}


void IncreaseNumber(int x) {
        x = x + 1;
}


void IncreaseVolume(Television tv) {
        if (tv.volume + 1 <= 100) {
                tv.volume = tv.volume + 1;
                System.out.println("Volume has been
```

```
                        changed to " + tv.volume);
        }
        else {
                System.out.println("Volume can not be
                changed because of out of range [0..100].");
        }
    }


    Television WhoseVolumeIsLargerOrEqualTo(Television tv1,
        Television tv2) {
        Television tv3;
        if (tv1.GetVolume() >= tv2.GetVolume()) tv3 = tv1;
        else tv3 = tv2;
        return tv3;
    }


    // 오버라이딩 된다
    void PrintClassName() {
        System.out.println("Class Name = Television.");
    }
}
```

〈첫 번째 클래스 프로그램 끝〉


```
// 두 번째 클래스
// 새로 추가한 OLED 클래스임
```

```java
public class OLED extends Television {
        private int USB;          // USB 포트 갯수
        private int HDMI;          // HDMI 포트 갯수
        private boolean XBOX;  // XBOX 단자 설치 여부

        // 생성자 #1 - 매개변수가 없는 생성자
        public OLED() {
                super();          // 부모인 Television 클래스의
                                  // Television() 생성자를 호출함

                USB = 2;
                HDMI = 3;
                XBOX = true;
        }

        // 생성자 #2 - 매개변수가 있는 생성자
        public OLED(int pChannel, int pVolume, boolean pOnOff,
                // 부모 클래스인 Television 클래스의 매개변수들
                int pUSB, int pHDMI, boolean pXBOX) {
                // 자식 클래스인 OLED 클래스의 추가 매개변수들

                super(pChannel, pVolume, pOnOff);
                        // 부모인 Television 클래스의
                        // Television(int pChannel, int pVolume,
                        // boolean pOnOff) 생성자를 호출한다
```

```java
            USB = pUSB;

            HDMI = pHDMI;

            XBOX = pXBOX;

}


int GetUSB() {

        return USB;

}


void SetUSB(int pUSB) {

        if ((pUSB >= 0) && (pUSB <= 5)) {

                USB = pUSB;

                System.out.println("USB has been changed

                        to " + USB);

        }

        else {

                System.out.println("USB can not be changed

                        to " + pUSB + " because of out of

                        range [0..5].");

        }

}


int GetHDMI() {

        return HDMI;
```

```java
        }

    void SetHDMI(int pHDMI) {
            if ((pHDMI >= 0) && (pHDMI <= 10)) {
                    HDMI = pHDMI;
                    System.out.println("HDMI has been changed
                            to " + HDMI);
            }
            else {
                    System.out.println("HDMI can not be
                    changed to " + pHDMI + " because of out
                    of range [0..10].");
            }
    }

    boolean GetXBOX() {
            return XBOX;
    }

    void SetXBOX(boolean pXBOX) {
            XBOX = pXBOX;
            if (pXBOX == true) {
                    System.out.println("XBOX has been changed
                            to On.");
            }
```

```
                  else {
                          System.out.println("XBOX has been changed
                                  to Off.");
                  }
          }


          // 오버라이딩 한다
          void PrintClassName() {
                  System.out.println("Class Name = OLED.");
          }
}
```

〈두 번째 클래스 프로그램 끝〉


```
// 세 번째 클래스
//기존의 Television 클래스에 자식 클래스로 OLED 클래스를 추가함
import java.util.*;


public class M_Exam16_Inheritance {
    public static void main(String[] args) {
            Scanner input = new Scanner (System.in);
            Television SStv = new Television();
                                        // 생성자 #1 사용함
            Television LGtv = new Television(15, 25, false);
                                        // 생성자 #2 사용함
```

```java
OLED HDtv = new OLED();    // 생성자 #1 사용함
OLED SKtv = new OLED(17, 27, false, 4, 5, true);
                           // 생성자 #2 사용함

System.out.print("SStv:   ");
SStv.PrintClassName();
System.out.println();

System.out.print("LGtv:   ");
LGtv.PrintClassName();
System.out.println();

System.out.println("HDtv:   Channel = " +
        HDtv.GetChannel() + ", Volume = " +
        HDtv.GetVolume() + ", USB = " +
        HDtv.GetUSB() + ", HDMI = " +
        HDtv.GetHDMI());
System.out.print("HDtv:   ");
HDtv.PrintClassName();
System.out.println();

System.out.println("SKtv:   Channel = " +
        SKtv.GetChannel() + ", Volume = " +
        SKtv.GetVolume() + ", USB = " +
        SKtv.GetUSB() + ", HDMI = " +
```

```
                        SKtv.GetHDMI());
                System.out.print("SKtv:    ");
                SKtv.PrintClassName();
                System.out.println();
        }
}
```

〈세 번째 클래스 프로그램 끝〉

실행 결과)

SStv: Class Name = Television.

LGtv: Class Name = Television.

HDtv: Channel = 10, Volume = 20, USB = 2, HDMI = 3
HDtv: Class Name = OLED.

SKtv: Channel = 17, Volume = 27, USB = 4, HDMI = 5
SKtv: Class Name = OLED.

〈실행결과 끝〉

9. 제네릭 클래스

제네릭 프로그래밍은 다양한 종류의 데이터를 처리할 수 있는 클래스와
메소드를 작성하는 기법이다. 대표적인 예로는 배열보다 사용하기 쉬운

ArrayList 클래스이다. ArrayList〈T〉는 어떤 종류의 객체도 저장할 수 있는 배열인데, 여기서 T는 배열에 저장되는 타입을 나타내는 매개 변수이다.

제네릭 클래스는 클래스를 정의 할 때, 클래스 안에서 사용하는 자료형을 구체적으로 명시하지 않고 T와 같이 기호로 적는다. 그리고 나서, 객체를 생성할 때, T 자리에 구체적인 자료형을 적는다. 즉, 자료형을 클래스의 매개 변수로 만든 것이다.

예를 들어, 정수형 ArrayList는 ArrayList〈Integer〉 list = new ArrayList〈Integer〉(); 로 사용한다. 중요한 것은 정수형은 int 아니고 Integer를 사용한다.

그리고 컬렉션은 자료 구조를 구현한 클래스들을 부르는 용어이다. 많이 사용되는 자료 구조로는 리스트, 스택, 큐 등이 있다.

10. Vector 클래스

Vector 클래스는 컬렉션의 일종으로 가변 크기의 배열을 구현한다. Vector는 요소의 개수가 늘어나면 자동으로 배열의 크기가 늘어난다. Vector에는 어떤 타입의 객체라도 섞어서 저장할 수도 있다.

Vector를 사용하려면, main()가 속한 클래스에서 import java.util. Vector;를 추가한다. Vector에다 요소를 순서대로 추가하려면, add() 메소드를 사용하고, 정해진 위치에 요소를 추가하려면, add(index, object) 메소드를 사용한다. Vector에서 값을 추출하려면, get() 메소드를 사용하고, size() 메소드는 현재 Vector 안에 있는 요소들의 개수를 반환한다.

11. ArrayList

리스트는 순서를 가지는 요소들의 모임으로 중복된 요소를 가질 수 있다. 리스트는 인덱스를 사용하여 요소에 접근하므로 배열과 비슷하다. 리스트의 인덱스는 0부터 시작한다.

ArrayList는 list를 배열로 구현한 것으로, 크기가 자동으로 조정된다. ArrayList를 생성하려면, 타입 매개변수를 지정해야 한다. 예를 들어, 문자열 ArrayList를 생성하려면, ArrayList〈String〉 list = new ArrayList〈String〉();와 같이 선언한다.

생성된 ArrayList 객체에다 데이터를 순서대로 저장하려면, add(데이터) 메소드를 사용한다. 특정 인덱스 위치에 추가하려면, add(인덱스, 데이터) 메소드를 사용하고, 특정 인덱스 위치의 원소를 수정하려면, set(인덱스, 데이터) 메소드를 사용한다. 특정 인덱스 위치의 원소를 제거하려면, remove(인덱스) 메소드를 사용하고, 특정 인덱스 위치의 원소를 가져오려면, get(인덱스) 메소드를 사용한다. 크기를 알려면, size() 메소드를 사용한다.

특정한 데이터가 저장된 위치를 알려면, indexOf(데이터) 메소드를 사용하는데, ArrayList는 동일한 데이터도 여러 번 저장할 수 있으므로 맨 처음에 있는 데이터의 위치가 반환된다. 검색을 반대 방향으로 하려면, lastIndexOf(데이터) 메소드를 사용한다.

12. 연결 리스트

LinkedList는 각 원소를 링크로 연결한다. 각 원소는 다음 원소를 가리키는 주소를 저정한다. 모든 연결 리스트는 이중 연결 리스트 구조를 가진다.

연결 리스트에서는 중간에 원소를 삽입하거나 삭제할 수 있다. LinkedList 의 사용법은 ArrayList와 완전히 같다. 참고로, Arrays.asList() 메소드는 배열을 받아서 리스트 형태로 반환한다.

13. Collection 클래스

Collection 클래스는 정렬과 탐색 기능을 구현한 메소드들을 제공한다. 정렬은 데이터를 특정 기준에 맞춰서 순서대로 나열하는 것이다. 섞기는 원소들의 순서를 랜덤하게 만든다. 탐색은 미리 정렬되어 있는 리스트 안에서 특정 원소를 찾는 것이다. binarySearch()를 기본적으로 사용한다.

Chapter 2. 영상처리 효과

1. Gray

Gray는 칼라 입력 영상을 전체적으로 회색 영상으로 변화하는 효과를 만든다. 칼라 색상을 회색으로 변경하기 위해서는 칼라 색상을 red, green, blue로 분해한 후에 평균값을 구한다. 이 평균값을 red, green, blue로 사용해서 새로운 색상을 만들면 된다.

칼라 색상을 회색으로 변화시키려면 아래와 같이 5단계 과정을 거친다.

Step 1) 픽셀 하나를 읽어온다

color = new Color(SourceImage.getRGB(row, column));

Step 2) red, green, blue 3가지 성분으로 분해한다.

red = (int) (color.getRed());

green = (int) (color.getGreen());

blue = (int) (color.getBlue());

Step 3) 3가지 색의 평균값을 구한다. 평균 결과는 정수형이어야 한다.

average = (red + green + blue) / 3;

Step 4) 3가지 색을 평균값으로 합성해서 gray색을 만든다.

new_color = new Color(average, average, average);

Step 5) 출력 이미지 파일에 기록한다.

TargetImage.setRGB(row, column, new_color.getRGB());

[Exam30_GrayImage.java   // 첫 번째 클래스]

```java
import java.io.File;
import java.io.IOException;
import java.awt.Color;
import java.awt.image.BufferedImage;
import javax.imageio.ImageIO;

public class GrayImage {
        private BufferedImage SourceImage = null;
        private BufferedImage TargetImage = null;

        private int width, height;
        private int row, column;
        private int red, green, blue;
        private Color color, new_color;
        private int average;

        private File U_InputFile  = null; // 현재 존재하는 이미지 파일
        private File U_OutputFile = null;     // 새로 만들 이미지 파일

        // 생성자 - 매개변수를 가지는 생성자임
        GrayImage(String U_InputFile_Path, String
                        U_OutputFile_Path){
```

```
// Read in the input image
// 입력 파일에 대한 처리 부분임
U_InputFile  = new File(U_InputFile_Path);
                    // 현재 존재하는 이미지 파일
U_OutputFile = new File(U_OutputFile_Path);
                    // 새로 만들어질 이미지 파일

try{
        SourceImage = ImageIO.read(U_InputFile);
        TargetImage = ImageIO.read(U_InputFile);
        // 앞으로 만들어질 파일이므로 source image
        // 파일과 같은 것을 일단 사용함
}
catch(IOException e){
        System.out.println(e);
                    // 파일을 열다가 문제가 생기면
                    // 에러 메시지를 내보낸다
}

//get image width and height
width = SourceImage.getWidth();
height = SourceImage.getHeight();

// Make TargetImage to be white image
```

```
new_color = new Color(255, 255, 255);   // 흰색

for(column = 0; column <= height - 1; column++){
    for(row = 0; row <= width - 1; row++){
        TargetImage.setRGB(row, column,
                new_color.getRGB());
    }
}


// C O N V E R T   T O   G R A Y
for(column = 0; column <= height - 1; column++){
    for(row = 0; row <= width- 1; row++){


        // 픽셀 하나를 읽어온다
        color = new Color(SourceImage.
                getRGB(row, column));


        // RGB 3가지 성분으로 분해한다
        red = (int) (color.getRed());
        green = (int) (color.getGreen());
        blue = (int) (color.getBlue());


        // 3가지 색의 평균값을 구한다.
        // 평균 결과는 정수형이어야 한다
        average = (red + green + blue) / 3;
```

```
                    // 3가지 색을 평균값으로 합성해서
                    // gray 색을 만든다
                    new_color = new Color(average,
                              average, average);


                    // 출력 이미지 파일에 기록한다
                    TargetImage.setRGB(row, column,
                              new_color.getRGB());
              }
        }


        / /write out the result image
        try{
              ImageIO.write(TargetImage, "png",
                    U_OutputFile);
        }
        catch(IOException e){
              System.out.println(e);
        }
    }
}


〈첫 번째 클래스 끝〉
```

[Exam30_M_GrayImage.java   // 두 번째 클래스]

import java.io.IOException;


```java
public class M_Exam30_GrayImage {
    public static void main(String[] args) throws IOException {

        String U_InputFile  = "D:\\U_Java\\Stone.png";
                            // 현재 존재하는 이미지 파일
        String U_OutputFile= "D:\\U_Java\\Stone_Gray.png";
                            // 새로 만들어질 이미지 파일

        GrayImage GI = new GrayImage(U_InputFile,
                U_OutputFile);
                            // 객체를 생성하면서 2개의 이미지
                            // 파일 이름을 전달한다
    }
}
```

〈두 번째 클래스 끝〉

Fig. 1 Input Image (Google Image 제공)

Fig. 2 Gray Image

2. Edge Detection

Edge Detection은 먼저 칼라 입력 영상을 Gray 영상으로 변환한 후에, 오른쪽 또는 아래쪽 픽셀과의 값 차이가 주어진 값보다 큰 경우에는 edge로 판단하여 검은색 점으로 edge를 표현한다.

특정 위치에 있는 픽셀을 기준으로 오른쪽 픽셀과의 값 차이 및 아래쪽 픽셀과의 값 차이를 조사하므로

```
for(column = 0; column <= height - 2; column++){
                              // [0 .. height - 2] 까지임
    for(row = 0; row <= width- 2; row++){
                              // [0 .. width - 2] 까지임
```

이와 같은 형태로 for 문장을 사용해야 한다.

[Exam31_Edge Detection.java   // 첫 번째 클래스]

```java
import java.io.File;
import java.io.IOException;
import java.awt.Color;
import java.awt.image.BufferedImage;
import javax.imageio.ImageIO;

public class EdgeDetection {
    private BufferedImage SourceImage = null;
    private BufferedImage TargetImage = null;
    private int width, height;
    private int row, column;
```

```java
private int red, green, blue;

private int red2;

private int red3;

private Color color, new_color;

private int average;


private File U_InputFile  = null; // 현재 존재하는 이미지 파일

private File U_OutputFile = null;    // 새로 만들 이미지 파일

private int U_Thresholding;
                        // 이 값보다 크거나 같아야 edge로
                        // 인식하는 최소한의 크기임.


// 생성자 - 매개변수를 가지는 생성자임
EdgeDetection(String U_InputFile_Path, String
        U_OutputFile_Path, int U_Thresholding_Value){

        // Read in the input image
        // 입력 파일에 대한 처리 부분임
        U_InputFile  = new File(U_InputFile_Path);
                        // 현재 존재하는 이미지 파일
        U_OutputFile = new File(U_OutputFile_Path);
                        // 새로 만들어질 이미지 파일
        U_Thresholding = U_Thresholding_Value;

        try{
```

```
                SourceImage = ImageIO.read(U_InputFile);

                TargetImage = ImageIO.read(U_InputFile);

                        // 앞으로 만들어질 파일이므로 source

                        // image 파일과 같은 것을 사용함

        }

        catch(IOException e){

                System.out.println(e);

                        // 파일을 열다가 문제가 생기면

                        // 에러 메시지를 내보낸다

        }


        // get image width and height

        width = SourceImage.getWidth();

        height = SourceImage.getHeight();


        // Make TargetImage to be white image

        // 출력 이미지 파일 전체를 하얀색으로 만든다

        new_color = new Color(255, 255, 255);   // 흰색


        for(column = 0; column <= height - 1; column++){

                for(row = 0; row <= width - 1; row++){

                        TargetImage.setRGB(row, column,

                                new_color.getRGB());

                }

        }
```

```
// C O N V E R T   T O   G R A Y
for(column = 0; column <= height - 1; column++){
    for(row = 0; row <= width- 1; row++){

        // 픽셀 하나를 읽어온다
        color = new Color(SourceImage.
                getRGB(row, column));

        // RGB 3가지 성분으로 분해한다
        red = (int) (color.getRed());
        green = (int) (color.getGreen());
        blue = (int) (color.getBlue());

        // 3가지 색의 평균값을 구한다.
        // 평균 결과는 정수형이어야 한다
        average = (red + green + blue) / 3;

        // 평균값으로 합성해서 gray색을 만든다
        new_color = new Color(average,
                average, average);
        // 입력 이미지 파일에 다시 기록한다
        SourceImage.setRGB(row, column,
                new_color.getRGB());
    }
```

```
        }

        // E D G E   D E T E C T I O N
        for(column = 0; column <= height - 2; column++){
                        // 0 부터  height - 2 까지임
        for(row = 0; row <= width- 2; row++){
                        // 0 부터  width - 2 까지임


                        // 중앙에 있는 픽셀 하나를 읽어온다
                        // Gray 이미지이므로 RGB 3가지
                        // 성분값이 모두 같아서 red값만 사용함
                        color = new Color(SourceImage.
                                getRGB(row, column));
                        red = (int) (color.getRed());


                        // 오른쪽에 있는 픽셀 하나를 읽어온다
                        // Gray 이미지이므로 RGB 3가지
                        // 성분값이 모두 같아서 red값만 사용함
                        color = new Color(SourceImage.
                                getRGB(row + 1, column));
                        red2 = (int) (color.getRed());


                        // 아래쪽에 있는 픽셀 하나를 읽어온다
                        // Gray 이미지이므로 RGB 3가지
                        // 성분값이 모두 같아서 red값만 사용
```

```
                        color = new Color(SourceImage.
                                getRGB(row,    column + 1));
                        red3 = (int) (color.getRed());


                        // 좌우 또는 상하 방향으로 주어진
                        // U_Thresholding 값보다 큰 차이를
                        // 보이면 edge로 판단해서 검은색 점을
                        // 찍는다
                        if ((Math.abs(red - red2) >=
                                U_Thresholding) ||
                            (Math.abs(red - red3) >=
                                U_Thresholding)) {
                                new_color = new Color
                                        (0, 0, 0);


                                // 출력 이미지 파일에 기록한다
                                TargetImage.setRGB(row,
                                column, new_color.getRGB());
                        }
                }
        }


//write out the result image
// 출력 파일에 대한 처리 부분임
try{
```

```
                ImageIO.write(TargetImage, "png",
                        U_OutputFile);

        }
        catch(IOException e){
                System.out.println(e);
        }
    }
}
```

〈첫 번째 클래스 끝〉

[Exam31_M_Edge Detection.java   // 두 번째 클래스]
import java.io.IOException;


```
public class M_Exam31_EdgeDetection {
    public static void main(String[] args) throws IOException {


        String U_InputFile  = "D:\\U_Java\\Stone.png";
                        // 현재 존재하는 이미지 파일.
        String U_OutputFile =
                "D:\\U_Java\\Stone_Edge_5.png";
                        // 새로 만들어질 이미지 파일
        int U_Thresholding_Value = 5;
                        // 이 값보다 크거나 같아야 edge로
                        // 인식하는 최소한의 크기임.
```

```
        EdgeDetection SI = new EdgeDetection(U_InputFile,
        U_OutputFile, U_Thresholding_Value);
                              // 객체를 생성하면서 2개의 이미지
                              // 파일 이름과 필터링값을 전달한다
    }
}
```

〈두 번째 클래스 끝〉

Fig. 3 Input Image

Fig. 4 Edge Detection with thresholding value = 5

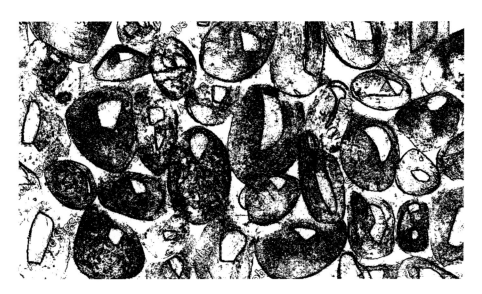

Fig. 5 Edge Detection with thresholding value = 6

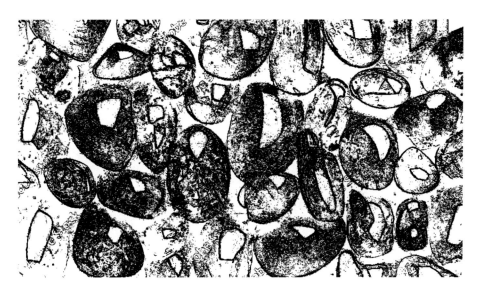

Fig. 6 Edge Detection with thresholding value = 7

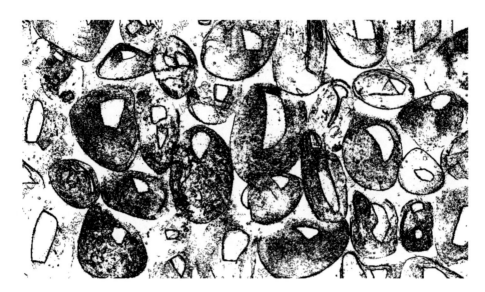

Fig. 7 Edge Detection with thresholding value = 8

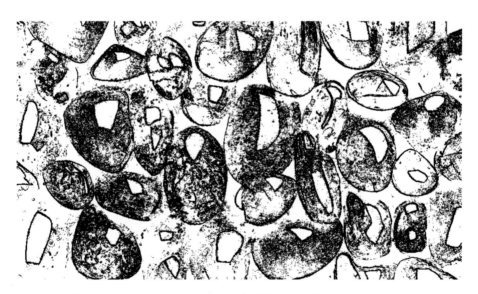

Fig. 8 Edge Detection with thresholding value = 9

3. Warping

Warping은 정사각형 직사각형 형태의 입력이미지를 임의의 변형된 사각형 형태의 출력이미지로 변형하는 방법이다.

임의의 변형된 사각형 형태의 출력이미지를 구성하는 4개점들을 왼쪽 위 p1(a1,b1), 왼쪽 아래 p2(a2,b2), 오른쪽 아래 p3(a3,b3), 오른쪽 위 p4(a4,b4)라고 한다면, 왼쪽 면을 구성하는 선분 p1p2를 m1 : n1로 내분하는 내분점 q1(x1,y1)은

$$x1 = (int)((float)(m1 * a2 + n1 * a1) / (float)(m1 + n1))$$
$$y1 = (int)((float)(m1 * b2 + n1 * b1) / (float)(m1 + n1))$$

오른쪽 면을 구성하는 선분 p4p3을 m1 : n1로 내분하는 내분점 q2(x2,y2)은

$$x2 = (int)((float)(m1 * a3 + n1 * a4) / (float)(m1 + n1))$$
$$y2 = (int)((float)(m1 * b3 + n1 * b4) / (float)(m1 + n1))$$

아래 면을 구성하는 선분 p2p3을 m2 : n2로 내분하는 내분점 q3(x3,y3)은

$$x3 = (int)((float)(m2 * a3 + n2 * a2) / (float)(m2 + n2))$$
$$y3 = (int)((float)(m2 * b3 + n2 * b2) / (float)(m2 + n2))$$

윗면을 구성하는 선분 p1p4를 m2 : n2로 내분하는 내분점 q4(x4,41)은

아래와 같다.

$$x4 = (int)((float)(m2 * a4 + n2 * a1) / (float)(m2 + n2))$$
$$y4 = (int)((float)(m2 * b4 + n2 * b1) / (float)(m2 + n2))$$

그러면, 두 개의 선분 q1q2와 선분 q4q3의 교차에 위치한 교차점인 내분점 위치 r(x5,y5)는 반올림 함수를 사용한 경우, 아래와 같다.

$$x5 = Math.round ((float)((x1*y2 - y1*x2)*(x3-x4) - (x1-x2)*(x3*y4$$
$$- y3*x4)) / (float)(((x1-x2)*(y3-y4) - (y1-y2)*(x3-x4))))$$
$$y5 = Math.round ((float)((x1*y2 - y1*x2)*(y3-y4) - (y1-y2)*(x3*y4$$
$$- y3*x4)) / (float)(((x1-x2)*(y3-y4) - (y1-y2)*(x3-x4))))$$

그런데 문제는 흰 점들이 보인다. 이런 문제가 발생하는 이유는 내분점 위치는 실수로 계산되는데 출력 이미지 위치는 정수로 지정하기 때문이다. Math.round 방법으로 반올림해도 (int) 방법과 별 차이가 없다.

출력 이미지에 있는 흰색 점들을 제거하기 위해서 다음과 같이 실행한다.

Step 2-1   출력 이미지의 좌/우/상/하 영역의 한계를 조사한다.

Step 2-2   출력 이미지 내부에 있는 색상들을 각각 읽어온다.

Step 2-3   읽어온 색상이 흰색점인 경우에는 주변 8개 색상들을 각각 조사한다. 이 때, 흰색이 아닌 색상을 유효한 색상이라고 하자.

Step 2-4   주변 8개 색상들 중에서 유효한 색상들의 개수가 5개 이상인 경우에는

Step 2-4-1   그 유효한 주변 색상들의 red, green, blue의 평균

값을 구해서 그 평균값들로 새로운 색상을 만들고,

Step 2-4-2   그 새로운 색상을 흰색 점의 위치에다 칠해서 흰색
점을 제거한다.

참고로, 흰색 점을 중심으로 주변 8개 색상들은 아래와 같은 순서를 가진
다.

$$
\begin{array}{ccc}
1 & 2 & 3 \\
4 & \_ & 5 \\
6 & 7 & 8
\end{array}
$$

Project: Exam42_Warping

[Warpimage.java   // 첫 번째 클래스]

```
//     1    2    3
//     4         5
//     6    7    8
//   흰색을 가지는 픽셀을 중심으로 주변을
//     3x3 크기의 마스크 영역으로 나눈 뒤에
//   각각의 색상을 red, green, blue로 나누어서
//   흰색이 아닌 경우에는 유효한 주변 픽셀로 간주해서 배열에 저장한다
//   흰색을 가지는 픽셀이 5개 이상의 유효한 이웃들을 가지는 경우에는
//   이들 유효한 이웃들의 평균값으로 대치한다
//     출력 이미지에 직접 위와 같은 마스크를 사용함
```

import java.io.File;

```java
import java.io.IOException;

import java.awt.Color;

import java.awt.image.BufferedImage;

import javax.imageio.ImageIO;


public class WarpImage {
        private BufferedImage SourceImage = null;
        private BufferedImage TargetImage = null;


        private int width, height;

        private int row, column;

        private int red, green, blue;

        private int red2, green2, blue2;


        private int m1, n1, m2, n2;
                // 이미지의 m:n 비율에 사용하기 위해서 새로 추가함
        private int x1, y1;            // 왼쪽면의 내분점 위치

        private int x2, y2;            // 아래쪽면의 내분점 위치

        private int x3, y3;            // 오른쪽면의 내분점 위치

        private int x4, y4;            // 위쪽면의 내분점 위치

        private int x5, y5;            // 중앙에 위치한 내분점 위치


        private int image_x_min;       // 출력 이미지의 왼쪽 위치

        private int image_x_max;       // 출력 이미지의 오른쪽 위치

        private int image_y_min;       // 출력 이미지의 위쪽 위치
```

```java
private int image_y_max;        // 출력 이미지의 아래쪽 위치


private Color color, color2, new_color, white_color;
private int average;


private int number_of_neighbor;
private int[] neighbor_red = new int[9];
                // 0번 위치는 사용하지 않는다
private int[] neighbor_green = new int[9];
                // 1부터 8번 위치까지 8개는 색상값들이고
private int[] neighbor_blue = new int[9];


private File U_InputFile  = null;
                            // 현재 존재하는 이미지 파일
private File U_OutputFile = null;
                            // 새로 만들어질 이미지 파일


// 생성자 - 매개변수를 가지는 생성자임
// 변형된 사각형 형태를 이루는 출력 이미지의 4개의 점들의 위치
// 변수들은 생성자에서 받은 (a1, b1), (a2, b2), (a3, b3),
// (a4, b4) 변수들을 그대로 사용한다
WarpImage(String U_InputFile_Path,
        String U_OutputFile_Path,
        int a1, int b1, int a2, int b2, int a3, int b3, int a4,
        int b4){
```

```
/////////////////////////

// Read in the input image
// 입력 파일에 대한 처리 부분임
U_InputFile  = new File(U_InputFile_Path);
                     // 현재 존재하는 이미지 파일
U_OutputFile = new File(U_OutputFile_Path);
                     // 새로 만들어질 이미지 파일

try{
        SourceImage = ImageIO.read(U_InputFile);
        TargetImage  =  ImageIO.read(U_InputFile);
        // 앞으로 만들어질 파일이므로 source image
        // 파일과 같은 것을 일단 사용함
}
catch(IOException e){
        System.out.println(e);  // 파일을 열다가 문제가
                  // 생기면 에러 메시지를 내보낸다
}

//get image width and height
width = SourceImage.getWidth();
height = SourceImage.getHeight();

// Make TargetImage to be white image
```

```
// 출력 이미지 파일 전체를 하얀색으로 만든다
white_color = new Color(255, 255, 255);      // 흰색


for(column = 0; column <= height - 1; column++){
        for(row = 0; row <= width - 1; row++){
                TargetImage.setRGB(row, column,
                        white_color.getRGB());
        }
}


//  W A R P P I N G - S T E P   # 1
//  변형된 사각형 형태를 이루는 출력 이미지를 만드는데
//  흰 점들이 보인다
for(m1 = 0; m1 <= height - 1; m1++){
        n1 = height - 1 - m1;

        for(m2 = 0; m2 <= width - 1; m2++){
                n2 = width - 1 - m2;

                // 왼쪽면의 내분점
                x1 = (int)((float)(m1 * a2 + n1 * a1)
                        / (float)(m1 + n1));
                y1 = (int)((float)(m1 * b2 + n1 * b1)
                        / (float)(m1 + n1));
```

```java
// 오른쪽면의 내분점
x2 = (int)((float)(m1 * a3 + n1 * a4)
            / (float)(m1 + n1));
y2 = (int)((float)(m1 * b3 + n1 * b4)
            / (float)(m1 + n1));


// 아래면의 내분점
x3 = (int)((float)(m2 * a3 + n2 * a2)
            / (float)(m2 + n2));
y3 = (int)((float)(m2 * b3 + n2 * b2)
            / (float)(m2 + n2));


// 윗면의 내분점
x4 = (int)((float)(m2 * a4 + n2 * a1)
            / (float)(m2 + n2));
y4 = (int)((float)(m2 * b4 + n2 * b1)
            / (float)(m2 + n2));


// 중앙에 위치한 내분점 위치
x5 = Math.round ((float)((x1*y2 -
        y1*x2)*(x3-x4) -
        (x1-x2)*(x3*y4 - y3*x4)) /
        (float)(((x1-x2)*(y3-y4) -
                (y1-y2)*(x3-x4))));
y5 = Math.round ((float)((x1*y2 -
```

```
                    y1*x2)*(y3-y4) -
                    (y1-y2)*(x3*y4 - y3*x4)) /
                    (float)(((x1-x2)*(y3-y4) -
                    (y1-y2)*(x3-x4))));


        // 원본 이미지에서 색상을 읽어온다
        // m2가 가로 x축 방향이고 m1은 세로
        // y축 방향이므로, (m2, m1)으로
        // 해주어야 한다 !!!!!
        color = new Color(SourceImage.
                getRGB(m2, m1));


        // 출력 이미지 파일에 기록한다
        TargetImage.setRGB(x5, y5,
                color.getRGB());

    }
}


// W A R P P I N G - S T E P  # 2
// Smoothing 방법을 사용하여 주변값들의 평균값으로
// 흰점들을 제거한다


// 2-1  출력 이미지의 좌/우/상/하 영역의 한계를
// 나타내는 값들을 조사한다
image_x_min = x1;
```

```
if (x2 〈 image_x_min) image_x_min = x2;
if (x3 〈 image_x_min) image_x_min = x3;
if (x4 〈 image_x_min) image_x_min = x4;

image_x_max = x1;
if (x2 〉 image_x_max) image_x_max = x2;
if (x3 〉 image_x_max) image_x_max = x3;
if (x4 〉 image_x_max) image_x_max = x4;

image_y_min = y1;
if (y2 〈 image_y_min) image_y_min = y2;
if (y3 〈 image_y_min) image_y_min = y3;
if (y4 〈 image_y_min) image_y_min = y4;

image_y_max = y1;
if (y2 〉 image_y_max) image_y_max = y2;
if (y3 〉 image_y_max) image_y_max = y3;
if (y4 〉 image_y_max) image_y_max = y4;


// 2-2  출력 이미지 내부에 있는 색상들을 읽어와서
// 2-3  흰색점인 경우에는 주변 8개 색상들을 조사해서
// 2-4  유효한 색상들의 갯수가 5개 이상인 경우에는
// 2-4-1  그 유효한 주변 색상들의 red, green, blue의
//          평균값을 구해서
// 2-4-2  새로운 색상을 만들어서,  그 새로운 색상을
```

```
//            흰색점의 위치에다 칠한다
for(column = image_y_min;
                column <= image_y_max; column++){
    for(row = image_x_min;
                row <= image_x_max; row++){


        // 2-2  TargetImage에서 색상을 하나 읽어와서,
        //            red/green/blue로 분해한다
        color = new Color(TargetImage.
                getRGB(row, column));
        red = (int) (color.getRed());
        green = (int) (color.getGreen());
        blue = (int) (color.getBlue());


        // 2-3  읽어온 색상이 흰색이라면, 주변 8개 이웃들을
        // 조사해서 유효한 색상들을 찾아내서 배열에 저장한다
        // 출력 이미지의 내부인 경우에는 흰색점이어서 주변값
        // 들로 수정을 해야 하고,
        // 외부인 경우에는 경계선이나 바탕이므로 무시한다
        if ((red == 255) && (green == 255)
                && (blue == 255)) {


            // 주변 8개 이웃들을 순서대로 조사해서 유효한
            // 이웃들의 색상들을 분해하여 배열에 저장한다
            number_of_neighbor = 0;  // 유효한 이웃의
```

```
                              // 개수를 0으로 초기화 한다

   // #1 왼쪽 위 이웃 픽셀
   color2 = new Color(TargetImage.getRGB
                          (row-1, column-1));
   red2 = (int) (color2.getRed());
   green2 = (int) (color2.getGreen());
   blue2 = (int) (color2.getBlue());

   // 흰색이 아니라면, 유효한 색상이므로 배열에
   // 저장한다
   if (((red2 == 255) && (green2 == 255) &&
     (blue2 == 255)) == false) {
     number_of_neighbor++;
                              // 갯수를 1 증가시키고

     neighbor_red[number_of_neighbor] = red2;
                  // 배열 [0]번은 사용하지 않음
     neighbor_green[number_of_neighbor] =
               green2;
     neighbor_blue[number_of_neighbor] =
               blue2;
   }

   // #2 위 이웃 픽셀
```

```
color2 = new Color(TargetImage.getRGB
                (row, column-1));
red2 = (int) (color2.getRed());
green2 = (int) (color2.getGreen());
blue2 = (int) (color2.getBlue());


// 흰색이 아니라면, 유효한 색상이므로 배열에
// 저장한다
if (((red2 == 255) && (green2 == 255) &&
    (blue2 == 255)) == false) {
    number_of_neighbor++;
                        // 갯수를 1 증가시키고


    neighbor_red[number_of_neighbor] = red2;
                // 배열 [0]번은 사용하지 않음
    neighbor_green[number_of_neighbor] =
                green2;
    neighbor_blue[number_of_neighbor] =
                blue2;
}


// #3 오른쪽 위 이웃 픽셀
color2 = new Color(TargetImage.getRGB
                (row+1, column-1));
red2 = (int) (color2.getRed());
```

```
green2 = (int) (color2.getGreen());
blue2 = (int) (color2.getBlue());

// 흰색이 아니라면, 유효한 색상이므로 배열에
// 저장한다
if ((((red2 == 255) && (green2 == 255) &&
    (blue2 == 255)) == false) {
    number_of_neighbor++;
                        // 갯수를 1 증가시키고

    neighbor_red[number_of_neighbor] = red2;
                // 배열 [0]번은 사용하지 않음
    neighbor_green[number_of_neighbor] =
                green2;
    neighbor_blue[number_of_neighbor] =
                blue2;
}

// #4 왼쪽 이웃 픽셀
color2 = new Color(TargetImage.getRGB
                (row-1, column));
red2 = (int) (color2.getRed());
green2 = (int) (color2.getGreen());
blue2 = (int) (color2.getBlue());
```

```
// 흰색이 아니라면, 유효한 색상이므로 배열에
// 저장한다
if (((red2 == 255) && (green2 == 255) &&
    (blue2 == 255)) == false) {
    number_of_neighbor++;
                            // 갯수를 1 증가시키고

    neighbor_red[number_of_neighbor] = red2;
                    // 배열 [0]번은 사용하지 않음
    neighbor_green[number_of_neighbor] =
                green2;
    neighbor_blue[number_of_neighbor] =
                blue2;
}


// #5 오른쪽 이웃 픽셀
color2 = new Color(TargetImage.getRGB
                (row+1, column));
red2 = (int) (color2.getRed());
green2 = (int) (color2.getGreen());
blue2 = (int) (color2.getBlue());


// 흰색이 아니라면, 유효한 색상이므로 배열에
// 저장한다
if (((red2 == 255) && (green2 == 255) &&
```

```java
                (blue2 == 255)) == false) {
            number_of_neighbor++;
                              // 갯수를 1 증가시키고


            neighbor_red[number_of_neighbor] = red2;
                         // 배열 [0]번은 사용하지 않음
            neighbor_green[number_of_neighbor] =
                              green2;
            neighbor_blue[number_of_neighbor] =
                              blue2;
        }


        // #6 왼쪽 아래 이웃 픽셀
        color2 = new Color(TargetImage.getRGB
                         (row-1, column+1));
        red2 = (int) (color2.getRed());
        green2 = (int) (color2.getGreen());
        blue2 = (int) (color2.getBlue());


        // 흰색이 아니라면, 유효한 색상이므로 배열에
        // 저장한다
        if (((red2 == 255) && (green2 == 255) &&
            (blue2 == 255)) == false) {
            number_of_neighbor++;
                              // 갯수를 1 증가시키고
```

```
        neighbor_red[number_of_neighbor] = red2;
                // 배열 [0]번은 사용하지 않음
        neighbor_green[number_of_neighbor] =
                green2;
        neighbor_blue[number_of_neighbor] =
                blue2;
}


// #7 아래 이웃 픽셀
color2 = new Color(TargetImage.getRGB
                        (row, column+1));
red2 = (int) (color2.getRed());
green2 = (int) (color2.getGreen());
blue2 = (int) (color2.getBlue());


// 흰색이 아니라면, 유효한 색상이므로 배열에
// 저장한다
if (((red2 == 255) && (green2 == 255) &&
    (blue2 == 255)) == false) {
    number_of_neighbor++;
                // 갯수를 1 증가시키고

    neighbor_red[number_of_neighbor] = red2;
                // 배열 [0]번은 사용하지 않음
```

```java
                neighbor_green[number_of_neighbor] =
                        green2;
                neighbor_blue[number_of_neighbor] =
                        blue2;
}


// #8 오른쪽 아래 이웃 픽셀
color2 = new Color(TargetImage.getRGB
                (row+1, column+1));
red2 = (int) (color2.getRed());
green2 = (int) (color2.getGreen());
blue2 = (int) (color2.getBlue());


// 흰색이 아니라면, 유효한 색상이므로 배열에
// 저장한다
if ((((red2 == 255) && (green2 == 255) &&
    (blue2 == 255)) == false) {
    number_of_neighbor++;
                    // 갯수를 1 증가시키고

    neighbor_red[number_of_neighbor] = red2;
                    // 배열 [0]번은 사용하지 않음
    neighbor_green[number_of_neighbor] =
                        green2;
    neighbor_blue[number_of_neighbor] =
```

```
                        blue2;

}


// 2-4  유효한 색상들의 개수가 5개 이상인
// 경우에는
if (number_of_neighbor >= 5){
    // 2-4-1  그 유효한 주변 색상들의 red, green,
    // blue 각각의 평균값을 구해서
    red2 = 0;
    for(int i = 1; i <=number_of_neighbor; i++){
        red2 = red2 + neighbor_red[i];
    }
    red2 = (int)((float)red2 /
            (float)number_of_neighbor);


    green2 = 0;
    for(int i = 1; i <=number_of_neighbor; i++){
        green2 = green2 + neighbor_green[i];
    }
    green2 = (int)((float)green2 /
            (float)number_of_neighbor);


    blue2 = 0;
    for(int i = 1; i <=number_of_neighbor; i++){
        blue2 = blue2 + neighbor_blue[i];
```

```java
        }
        blue2 = (int)((float)blue2 /
                (float)number_of_neighbor);

        // 3가지 색이 0부터 255 사이인지 확인한다
        if (red2 < 0) red2 = 0;
        if (red2 > 255) red2 = 255;
        if (green2 < 0) green2 = 0;
        if (green2 > 255) green2 = 255;
        if (blue2 < 0) blue2 = 0;
        if (blue2 > 255) blue2 = 255;

        // 2-4-2  새로운 색상을 만들어 그 색상을
        //         흰색점의 위치에다 칠한다
        new_color = new Color(red2, green2, blue2);
                // 3가지 색을 가지고 최종색을 만든다

        // 출력 이미지 파일에 기록한다
        TargetImage.setRGB(row, column,
                        new_color.getRGB());
      }
    }
  }
}
```

```
/////////////////////////
//write out the result image
// 출력 파일에 대한 처리 부분임
try{
        ImageIO.write(TargetImage, "png",
                U_OutputFile);
}
catch(IOException e){
        System.out.println(e);
}
    }
}
```

〈첫 번째 클래스 끝〉

[M_Exam42_Warp.java // 두 번째 클래스]
import java.io.IOException;
        // main() 뒤의 throws IOException 때문에 필요함


```
public class M_Exam42_Warp {
    public static void main(String[] args) throws IOException {
        String U_InputFile  = "D:\\U_Java\\Stone.png";
                // 현재 존재하는 이미지 파일.
        String U_OutputFile =
                "D:\\U_Java\\Stone_Warpping.png";
                // 새로 만들어질 이미지 파일
```

```java
        int a1 = 70;    // 왼쪽 위  점 p1의 x 좌표
        int b1 = 100;   // 왼쪽 위  점 p1의 y 좌표


        int a2 = 20;    // 왼쪽 아래  점 p2의 x 좌표
        int b2 = 450;   // 왼쪽 아래  점 p2의 y 좌표


        int a3 = 950;   // 오른쪽 아래  점 p3의 x 좌표
        int b3 = 550;   // 오른쪽 아래  점 p3의 y 좌표


        int a4 = 700;   // 오른쪽 위 점  p4의 x 좌표
        int b4 = 20;    // 오른쪽 위 점  p4의 y 좌표


        WarpImage SI = new WarpImage(U_InputFile,
        U_OutputFile, a1, b1, a2, b2, a3, b3, a4, b4);
        // 객체를 생성하면서 2개의 이미지 파일 이름과  변형된
        // 사각형 형태를 이루는 출력 이미지의 4개의 점들의
        // 위치 (x, y)를 알려준다
    }
}
```

〈두 번째 클래스 끝〉

Fig. 9 Input Image

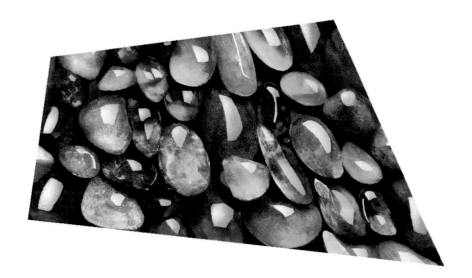

Fig. 10 Warping Result Image

4. Gray Histogram Equalization

Simplify 명령어와 Gray Histogram Equalization 명령어 차이점은 Simplify 명령어는 칼라 색상을 구성하는 red, green, blue 각각에 대해 0 부터 255까지의 색상 범위를 1부터 7까지의 level number 크기로 group 을 형성하여 단순화 시켜서 적은 수의 색상으로 표현한다.

이에 반해서, Gray Histogram Equalization 명령어는 해당 intensity의 갯수를 조사하여 작은 갯수를 가지는 intensity를 주변의 intensity에 병합 하여 치환하는 개념이다

그래서 결과적으로, Simplify 명령어는 구간 중심의 단순한 병합 및 치환 개념이고, Gray Histogram Equalization 명령어는 주어진 입력 이미지에 보다 더 최적화된 병합 및 치환 개념이다

사용되는 중요한 변수들 및 배열의 크기와 의미는 다음과 같다.
private int U_GHE;
      // Gray Histogram Equalization 평준화 정도를 나타내는 값

private int U_Current_GHE;
      // 줄어들고 있는 현재 Gray Histogram Equalization 값
      // 그래서 U_Current_GHE가 줄어들어야 하는 U_GHE 보다
      // 작아질 때까지 while()문이 반복 실행된다

private int[][] histogram = new int [256][2];
      // [][0] = count = 해당 gray intensity를 가지는 픽셀들의 갯수

// 초기값은 0이지만   바로 gray image 영역 전체를 조사해서

// image에서 사용된 intensity를 가지는 픽셀의 갯수가 된다

// 다른 intensity로 치환되면 -1로 변경됨

// [][1] = replaced to = 새로 치환된 gray intensity

// 초기값은 -1이고, 다른 값으로 치환이 안되면 -1을 유지하고,

// 치환되면, 치환된 gray intensity (0~255 사이의 값)을 가진다

// 치환 작업이 완료되 후에는, intensity i에 대해

// i가 사용되지 않아서   처음부터 없었던 경우:

    histogram[i][0] = 0이고, [i][1] = -1이다

// i가 처음에는 있다가 치환된 경우:

    histogram[i][0] = -1이고, [i][1] =

    새로 치환된 intensity 0~255 값

// i가 사용되고 있는 경우:

    histogram[i][0] = 1 이상의 값이고, [i][1] = -1이다

private int[] intensity = new int [256];

    // 오름차순으로 정렬할 때 사용한다

    // 정렬할 때는 count[]를 중심으로 정렬하지만 해당 intensity도

    // 함께 정렬되어야 하기 때문에 사용한다

private int[] count = new int [256];

    // 오름차순으로 정렬할 때 사용한다

    // 정렬할 때 마다 해당 intensity의 갯수를 가지는

    // histogram[][0]을 읽어와서 초기화하고 정렬한다

    // 정렬할 때는 count[]를 중심으로 오름차순으로 정렬한다

private int current_intensity;

// 현재 조사 대상인 gray intensity

private int replaced_intensity;

// 새로 치환되는 intensity

private int left_intensity;   // current_intensity를 중심으로 왼쪽에

// 있는 현재 사용중인 intensity

private int right_intensity;   // current_intensity를 중심으로 오른쪽

// 에 있는 현재 사용중인 intensity

private int[][] ReplacementTable = new int [256][2];

// [][0] = 치환여부를 의미한다. 초기값은 0이며,

//   새로운 intensity로 치환되면 1로 바뀐다

// [][1] = 새로 치환되어야 하는 intensity.

//   초기값은 자기 자신의 intensity 이며,

//   치환되면 새로 치환되어야 하는 최종

//   intensity 값을 가진다. "최종"이 중요함

[Exam46_GrayHistogramEqualization.java // 첫 번째 클래스]

import java.io.File;

import java.io.IOException;

import java.awt.Color;

import java.awt.image.BufferedImage;

import javax.imageio.ImageIO;

```java
public class GrayHistogramEqualization {
        private BufferedImage SourceImage = null;
        private BufferedImage TargetImage = null;

        private int width, height;
        private int row, column;
        private int red, green, blue;
        private int gray, gray2;
        private Color color, new_color;
        private int average;

        private File U_InputFile  = null;
                        // 현재 존재하는 이미지 파일
        private File U_OutputFile = null;
                        // 새로 만들어질 이미지 파일
        private int U_GHE;
                        // Gray Histogram Equalization 평준화 되는
                        // 정도를 나타내는 값
        private int U_Current_GHE;
                        // 줄어들고 있는 현재 Gray Histogram
                        // Equalization 값
                        // 그래서 U_Current_GHE가  줄어들어야 하는
                        // U_GHE 보다 작아질 때까지 while()문이 반복
                        // 실행된다
```

```java
private int[][] histogram = new int [256][2];
            // [][0] = count = 현재 해당 gray intensity를
            // 가지는 픽셀들의 갯수
            // 초기값은 0이지만  바로 gray image 영역
            // 전체를 조사해서 image에서 사용된 해당
            // intensity를 가지는 픽셀의 갯수가 된다
            // 다른 intensity로 치환되면 -1로 변경됨
            // [][1] = replaced to =
            //        새로 치환된 gray intensity
            // 초기값은 -1이고, 다른 값으로 치환이 안되면
            // -1을 그대로 유지하고,
            // 치환되면, 치환된 gray intensity 값
            // (0~255 사이의 값)을 가진다
            // 치환 작업이 완료된 후에, intensity I에 대해
            // i가 사용되지 않아서 처음부터 없었던 경우:
            // histogram[i][0] = 0이고, [i][1] = -1이다
            // i가 처음에는 있다가 치환된 경우:
            // histogram[i][0] = -1이고,
            // [i][1] = 새로 치환된 intensity 0~255 값
            // i가 사용되고 있는 경우:
            // histogram[i][0] = 1 이상의 값이고,
            // [i][1] = -1이다
private int[] intensity = new int [256];
            // 오름차순으로 정렬할 때 사용한다
```

```java
            // 정렬할 때는 count[]를 중심으로 정렬하지만
            // 해당 intensity도 함께 정렬되어야 하기 때문에
            // 사용한다
private int[] count = new int [256];
            // 오름차순으로 정렬할 때 사용한다
            // 정렬할 때 마다 해당 intensity의 개수를
            // 가지는 histogram[][0]을 읽어와서 초기화하고
            // 정렬한다
            // 정렬할 때는 count[]를 중심으로 오름차순으로
            // 정렬한다


private int i, j, k, n, temp;
private boolean while_loop_is_running;


private int current_intensity;
            // 현재 조사 대상인 gray intensity
private int replaced_intensity;
            // 새로 치환되는 intensity
private int left_intensity;
            // current_intensity를 중심으로 왼쪽에 있는
            // 현재 사용중인 intensity
private int right_intensity;
            // current_intensity를 중심으로 오른쪽에 있는
            // 현재 사용중인 intensity
```

```java
private int[][] ReplacementTable = new int [256][2];
                // [][0] = 치환여부를 의미한다. 초기값은 0이며,
                // 새로운 intensity로 치환되면 1로 바뀐다
                // [][1] = 새로 치환되어야 하는 intensity.
                // 초기값은 자기 자신의 원래 intensity 이며,
                // 치환되면 새로 치환되어야 하는   최종
                // intensity 값을 가진다. 최종이 중요함


// 생성자 - 매개변수를 가지는 생성자임
GrayHistogramEqualization (String U_InputFile_Path,
        String U_OutputFile_Path, int U_GHE_Value){


        // Read in the input image
        // 입력 파일에 대한 처리 부분임
        U_InputFile  = new File(U_InputFile_Path);
                        // 현재 존재하는 이미지 파일
        U_OutputFile = new File(U_OutputFile_Path);
                        // 새로 만들어질 이미지 파일
        U_GHE = U_GHE_Value;


        try{
                SourceImage = ImageIO.read(U_InputFile);
                TargetImage = ImageIO.read(U_InputFile);
                        // 앞으로 만들어질 파일이므로 source
                        // image 파일과 같은 것을 일단 사용함
```

```java
    }
    catch(IOException e){
            System.out.println(e);   // 파일을 열다가 문제가
                              // 생기면 에러 메시지를 내보낸다
    }


    //get image width and height
    width = SourceImage.getWidth();
    height = SourceImage.getHeight();


    // Make TargetImage to be white image
    // 출력 이미지 파일 전체를 하얀색으로 만든다
    new_color = new Color(255, 255, 255);   // 흰색


    for(column = 0; column <= height - 1; column++){
            for(row = 0; row <= width - 1; row++){
                    TargetImage.setRGB(row, column,
                                   new_color.getRGB());
            }
    }


    //  GRAY HISTOGRAM EQUALIZATION
    // 변수 및 배열 histogram[][]을 초기화 한다
    U_Current_GHE = 256;
                    // 처음에는 0~255까지 256개 색상이
```

// 다 사용되고 있다고 가정한다

```
for (i = 0; i <= 255; i++) {
        histogram[i][0] = 0;
                // count.  초기값은 0이고, 다른 값으로
                // 치환되면 -1을 가진다
        histogram[i][1] = -1;
                // replaced to.  초기값은 -1이고,
                // 다른 값으로 치환되면  치환된 0~255
                // 값을 가진다
}


// 입력 gray 영상 전체 영역에 대해, intensity 0~255
// 각각에 대한 사용빈도 갯수를 세어 히스토그램 만들기
for(column = 0; column <= height - 1; column++){
  for(row = 0; row <= width- 1; row++){

    // 픽셀값 하나를 읽어온다
    color = new Color(SourceImage.getRGB(row,
                        column));
    // red, green, blue 3가지 성분으로 분해한다
    // 입력 이미지가 gray 이미지이므로, red만 얻어서
    // gray로 사용한다
    gray = (int) (color.getRed());
```

```
        // 해당 gray intensity의 갯수를 하나 증가시킨다
        histogram[gray][0]++;
                    // [][0] = count = 현재 해당 gray
                    // intensity를 가지는 픽셀들의 갯수
    }
}


// 줄어들고 있는 현재 Gray Histogram Equalization
// 값인 U_Current_GHE가
// 줄어들어야 하는 결과값인 U_GHE 보다 작거나 같아질
// 때까지 반복해서 실행한다
while (U_Current_GHE > U_GHE) {
    // Step #1)
    // 2차원 배열 histogram[][]에 저장되어 있는 정보를
    // 가지고 1차원 배열 intensity[]와 count[]를
    // 초기화 한다
    for (i = 0; i <= 255; i++) {
        intensity[i] = i;
        count[i] = histogram[i][0];
                    // histogram[][0] = count = 현재 해당
                    // gray intensity를 가지는 픽셀의 갯수
    }

    // Step #2)
    // 배열 intensity[]와 count[]를 오름차순으로
```

// 정렬하는데 배열 count[]를 중심으로 오름차순으로
// 정렬하고, 배열 intensity[]는 따라 정렬한다
n = 255;

```
for (i = n-1; i >= 0; i--) {
  for (j = 0; j <= i; j++) {
    if (count[j] > count[j+1]) {
            temp = count[j];
            count[j] = count[j+1];
            count[j+1] = temp;

            temp = intensity[j];
            intensity[j] = intensity[j+1];
            intensity[j+1] = temp;
    }
  }
}
```

// Step #3)
// 오름차순으로 정렬된 배열 count[]를 중심으로 왼쪽
// 에서 오른쪽 방향으로 이동하면서 1 이상의 개수를
// 가지는 첫번째 intensity를 찾는다
// 그 intensity를 current_intensity라고 하자
// -1도 아니고 0도 아닌 1 이상의 갯수를 가져야 현재
// 사용되고 있는 intensity 이다

```
// 참고로, k는 오름차순으로 정렬된 배열 count[]에서
// 1 이상의 갯수를 가지는 첫번째 원소의 첨자이고,
// intensity[k]가 그에 해당하는 gray intensity이다
k = -1;
while_loop_is_running = true;
while (while_loop_is_running == true) {
  k++;

  if (count[k] >= 1)
     while_loop_is_running = false;
}
current_intensity = intensity[k];


// Step #4)
// current_intensity는 현재 1 이상의 갯수를 가지는
// 제일 작은 intensity이다
// current_intensity를 중심으로 왼쪽 방향으로
// 이동하면서 1 이상의 갯수를 가지고 있으면서
// 동시에 현재 사용되고 있는 intensity를 찾아
// left_intensity이라고 한다

// current_intensity가 0이면, 왼쪽 left_intensity는
// 존재하지 않으므로 조사할 것 없이 -1로 한다
if (current_intensity == 0) left_intensity = -1;
```

```java
// current_intensity가 0보다 크면,
// 왼쪽 left_intensity를 조사해서 찾는다
if (current_intensity > 0) {
  left_intensity = current_intensity;
  while_loop_is_running = true;

  while (while_loop_is_running == true) {
    left_intensity--;        // 왼쪽으로 하나 이동

    // 왼쪽으로 이동하면서 현재 사용 중인
    // intensity를 찾았으나
    // 현재 사용 중인 intensity가 없어서 맨 왼쪽
    // 영역 끝을 벗어난 경우로 결과적으로,
    // left_intensity가 음수인 -1이 된다
    if (left_intensity < 0)
          while_loop_is_running = false;

    // count 갯수가 1보다 크거나 같아서 현재
    // 사용 중인 intensity를  찾은 경우로
    // 결과적으로, left_intensity가 0보다 크거나
    // 같은 수가 된다
    else if (histogram[left_intensity][0] >= 1)
          while_loop_is_running = false;
  }
```

```
}

// Step #5)
// current_intensity는 현재  1 이상의 갯수를 가지는
// 제일 작은 intensity이다
// current_intensity를 중심으로 오른쪽 방향으로 이동
// 하면서, 1 이상의 갯수를 가지고 있으면서  동시에
// 현재 사용되고 있는 intensity를 찾아
// right_intensity이라고 한다

// current_intensity가 255이면, 오른쪽
// right_intensity는 존재하지 않으므로 조사할 것
// 없이 256로 한다
if (current_intensity == 255) right_intensity = 256;

// current_intensity가 255보다 작으면, 오른쪽
// right_intensity를 조사해서 찾는다
if (current_intensity < 255) {
  right_intensity = current_intensity;
  while_loop_is_running = true;
  while (while_loop_is_running == true) {
    right_intensity++;
            // 오른쪽으로 하나 이동한다


    // 오른쪽으로 이동하면서 현재 사용 중인
```

```
        // intensity를 찾았으나
        // 현재 사용 중인 intensity가 없어서 맨 오른쪽
        // 영역 끝을 벗어난 경우로
        // 결과적으로, right_intensity가 256이 된다
        if (right_intensity > 255)
                while_loop_is_running = false;


        // count 갯수가 1보다 크거나 같아서 현재 사용
        // 중인 intensity를  찾은 경우로
        // 결과적으로, right_intensity가 255보다
        // 작거나 같은 수가 된다
        else if (histogram[right_intensity][0] >= 1)
                while_loop_is_running = false;
    }
}


// Step #6)
// left_intensity와 right_intensity의 존재여부에 따라
// 4가지 case로 나눈 후에, 각 case에 대해,
// (1) current_intensity를 이동시켜 치환할
//     replaced_intensity를 찾는다
// (2) current_intensity 갯수를 replaced_intensity
//     갯수에 더해 옮기고
// (3) current_intensity 갯수를 -1로 해서
//     "사용 무효화" 시키고
```

```java
// (4) current_intensity를 replaced_intensity로
//     치환시킨다

// case 1) 왼쪽 오른쪽 intensity 둘 다 존재하는 경우
if ((left_intensity >= 0) &&
        (right_intensity <= 255)) {

  // 왼쪽과 오른쪽 count 갯수가 같으면,
  // 거리차이가 작은 쪽으로 치환한다
  if (histogram[left_intensity][0] ==
        histogram[right_intensity][0]) {

      // 왼쪽과 오른쪽까지의 거리차이가 같으면
      // current_intensity가 0~127 사이면,
      // 왼쪽으로 치환하고
      // current_intensity가 128~255 사이면,
      // 오른쪽으로 치환한다
      if (Math.abs(current_intensity -
          left_intensity) == Math.abs(right_intensity -
              current_intensity)) {

          // current_intensity가 0~127 사이면,
          // 왼쪽으로 치환하고
          if (current_intensity <= 127) {
```

```java
                // (1) left_intensity가  치환되는
                //     replaced_intensity로 선택된다
                replaced_intensity = left_intensity;


                // (2) current_intensity의 개수를
                //     replaced_intensity 갯수에 더해 옮기고
                histogram[replaced_intensity][0] =
                        histogram[replaced_intensity][0] +
                        histogram[current_intensity][0];


                // (3) current_intensity의 갯수를 -1로 해서
                //     "사용 무효화" 시키고
                histogram[current_intensity][0] = -1;


                // (4) current_intensity가
                //     replaced_intensity로 치환됨을 알린다
                histogram[current_intensity][1] =
                        replaced_intensity;
            }


        // current_intensity가 128~255 사이면,
        // 오른쪽으로 치환한다
        if (current_intensity >= 128) {
            // (1) right_intensity가  치환되는
            //     replaced_intensity로 선택된다
```

```java
            replaced_intensity = right_intensity;

            // (2) current_intensity의 개수를
            // replaced_intensity의 갯수에 더해서 옮기고
            histogram[replaced_intensity][0] =
                histogram[replaced_intensity][0]      +
                histogram[current_intensity][0];

            // (3) current_intensity의 갯수를 -1로 해서
            //     "사용 무효화" 시키고
            histogram[current_intensity][0] = -1;

            // (4) current_intensity가
            //     replaced_intensity로 치환됨을 알린다
            histogram[current_intensity][1] =
                replaced_intensity;
        }
    }

    // 왼쪽까지의 거리가 더 짧으면, 왼쪽으로 치환한다
    // else if()를 사용하는 이유는, 위에서 histogram[][]
    // 정보가 수정될  수 있기 때문이다
    else if (Math.abs(current_intensity -
        left_intensity) < Math.abs(right_intensity -
        current_intensity)) {
```

```
        // (1) left_intensity가 치환되는
        //       replaced_intensity로 선택된다
        replaced_intensity = left_intensity;

        // (2) current_intensity의 개수를
        //       replaced_intensity에 더해서 옮기고
        histogram[replaced_intensity][0] =
                histogram[replaced_intensity][0] +
                histogram[current_intensity][0];

        // (3) current_intensity의 갯수를 -1로 해서
        //       "사용 무효화" 시키고
        histogram[current_intensity][0] = -1;

        // (4) current_intensity가
        //       replaced_intensity로 치환됨을 알린다
        histogram[current_intensity][1] =
                replaced_intensity;
}

// 오른쪽까지의 거리가 더 짧으면, 오른쪽으로
// 치환한다
// else if()를 사용하는 이유는, 위에서 histogram[][]
// 정보가 수정될 수 있기 때문이다
```

```java
        else if (Math.abs(current_intensity -
            left_intensity) > Math.abs(right_intensity -
            current_intensity)) {

            // (1) right_intensity가  치환되는
            //       replaced_intensity로 선택된다
            replaced_intensity = right_intensity;

            // (2) current_intensity의 개수를
            //       replaced_intensity의 갯수에 더하고
            histogram[replaced_intensity][0] =
                    histogram[replaced_intensity][0] +
                    histogram[current_intensity][0];

            // (3) current_intensity의 갯수를 -1로 해서
            //       "사용 무효화" 시키고
            histogram[current_intensity][0] = -1;

            // (4) current_intensity가
            //       replaced_intensity로 치환됨을 알린다
            histogram[current_intensity][1] =
                    replaced_intensity;
        }
    }
```

```
// 왼쪽 count 갯수가 작은 경우, 왼쪽으로 치환한다
// else if()를 사용하는 이유는, 위에서 histogram[][]
// 정보가 수정될  수 있기 때문이다
else if (histogram[left_intensity][0] <
    histogram[right_intensity][0]) {

    // (1) left_intensity가  치환되는
    //      replaced_intensity로 선택된다
    replaced_intensity = left_intensity;

    // (2) current_intensity의 개수를
    //      replaced_intensity의 갯수에 더해서 옮기고
    histogram[replaced_intensity][0] =
        histogram[replaced_intensity][0] +
        histogram[current_intensity][0];

    // (3) current_intensity의 갯수를 -1로 해서
    //      "사용 무효화" 시키고
    histogram[current_intensity][0] = -1;

    // (4) current_intensity가 replaced_intensity로
    //      치환되었음을 알린다
    histogram[current_intensity][1] =
        replaced_intensity;
}
```

```
// 오른쪽 count 갯수가 작은 경우, 오른쪽으로 치환함
// else if()를 사용하는 이유는, 위에서 histogram[][]
// 정보가 수정될  수 있기 때문이다
else if (histogram[left_intensity][0] 〉
    histogram[right_intensity][0]) {

    // (1) right_intensity가  치환되는
    //     replaced_intensity로 선택된다
    replaced_intensity = right_intensity;

    // (2) current_intensity의 개수를
    //     replaced_intensity의 갯수에 더해서 옮기고
    histogram[replaced_intensity][0] =
        histogram[replaced_intensity][0] +
        histogram[current_intensity][0];

    // (3) current_intensity의 갯수를 -1로 해서
    //     "사용 무효화" 시키고
    histogram[current_intensity][0] = -1;

    // (4) current_intensity가 replaced_intensity로
    //     치환되었음을 알린다
    histogram[current_intensity][1] =
        replaced_intensity;
```

```
        }
    }

    // case 2) 왼쪽 intensity만 존재하는 경우,
    //     왼쪽으로 치환한다
    if ((left_intensity >= 0) && (right_intensity > 255)){

        // (1) left_intensity가  치환되는
        //      replaced_intensity로 선택된다
        replaced_intensity = left_intensity;

        // (2) current_intensity의 개수를
        //      replaced_intensity의 갯수에 더해서 옮기고
        histogram[replaced_intensity][0] =
            histogram[replaced_intensity][0] +
            histogram[current_intensity][0];

        // (3) current_intensity의 갯수를 -1로 해서
        //      "사용 무효화" 시키고
        histogram[current_intensity][0] = -1;

        // (4) current_intensity가 replaced_intensity로
        //      치환되었음을 알린다
        histogram[current_intensity][1] =
            replaced_intensity;
```

```
}

// case 3) 오른쪽 intensity만 존재하는 경우,
//          오른쪽으로 치환한다
if ((left_intensity < 0) && (right_intensity <= 255)){

   // (1) right_intensity가  치환되는
   //     replaced_intensity로 선택된다
   replaced_intensity = right_intensity;

   // (2) current_intensity의 개수를
   //     replaced_intensity의 갯수에 더해서 옮기고
   histogram[replaced_intensity][0] =
       histogram[replaced_intensity][0] +
       histogram[current_intensity][0];

   // (3) current_intensity의 갯수를 -1로 해서
   //     "사용 무효화" 시키고
   histogram[current_intensity][0] = -1;

   // (4) current_intensity가 replaced_intensity로
   //     치환되었음을 알린다
   histogram[current_intensity][1] =
       replaced_intensity;
}
```

```
    // 현재 사용 중인 gray intensity 개수인
    // U_Current_GHE 값을 수정한다
    U_Current_GHE = 0;

    for (i = 0; i <= 255; i++) {
      // histogram[i][0] >= 1 이면, intensity i는
      // 현재 사용 중이다
      if (histogram[i][0] >= 1) U_Current_GHE++;
    }
  }


  // Step #7)
  // 치환여부 및 치환되는 최종 결과 intensity를 보여주는
  // 2차원 배열 ReplacementTable[][]를 만든다
  // ReplacementTable[][0]은 치환여부로, 초기값 0이다
  // 치환되면 1로 된다
  // ReplacementTable[][1]는 새로 치환되어야 하는
  // intensity이다. 초기값은 자기 자신의 intensity이며,
  // 치환되면 새로 치환되어야 하는 "최종" intensity 값을
  // 가진다.
  for (i = 0; i <= 255; i++) {
    ReplacementTable[i][0] = 0; // 초기값 0
    ReplacementTable[i][1] = i;
            // 초기값은 자기 자신의 intensity
```

```
}

for (i = 0; i <= 255; i++) {
    // 현재 intensity i가 사용하고 있는 intensity인 경우
    if (histogram[i][1] == -1) {
        ReplacementTable[i][0] = 0;   // 치환되지 않았고
        ReplacementTable[i][1] = i;
                    // 자기자신의 intensity를 그대로 가진다
    }

    // 현재 intensity i가 다른 intensity로 치환된 경우로
    // 계속 추적해서 마지막 최종 사용하는 intensity를
    // 찾아 저장한다
    if (histogram[i][1] != -1) {
        j = histogram[i][1];

        while (histogram[j][1] != -1) {
            j = histogram[j][1];
        }
        ReplacementTable[i][0] = 1;
                        // 치환되었음을 표시하고,
        ReplacementTable[i][1] = j;    // intensity j가
            // 치환되어 최종적으로 사용하는 intensity 이다
    }
}
```

```
// Step #8)
// 결과 이미지를 새로 만든다
for(column = 0; column <= height - 1; column++){
  for(row = 0; row <= width - 1; row++){

    // 픽셀 하나를 읽어온다
    color = new Color(SourceImage.getRGB(row,
        column));

    // red 성분을 분해해서 gray라고 한다
    gray = (int) (color.getRed());

    // 현재 사용 중인 intensity이면, 그대로 사용하고
    if (ReplacementTable[gray][0] == 0)
      new_color = color;

    // 치환되었다면, 치환된 intensity를 사용한다
    if (ReplacementTable[gray][0] == 1) {
      gray2 = ReplacementTable[gray][1];
      new_color = new Color(gray2, gray2, gray2);
    }

    // 출력 이미지 파일에 기록한다
    TargetImage.setRGB(row, column,
```

```
                    new_color.getRGB());

          }

      }


      //write out the result image
      // 출력 파일에 대한 처리 부분임
      try{
              ImageIO.write(TargetImage, "png",
                      U_OutputFile);
      }
      catch(IOException e){
              System.out.println(e);
      }
   }
}
```
〈첫 번째 클래스 끝〉

[M_Exam46_GrayHistogramEqualization.java   // 두 번째 클래스]
```
import java.io.IOException;
public class M_Exam46_GrayHistogramEqualization {
    public static void main(String[] args) throws IOException {
        String U_InputFile  = "D:\\U_Java\\Stone_Gray.png";
                            // 꼭 gray 이미지여야 한다
        String U_OutputFile =
```

```
                    "D:\\U_Java\\Stone_HE_128.png";
                        // 새로 만들어질 결과 이미지 파일
            int U_GHE_Value = 128;
                        // 평준화되어 사용하는 레벨 갯수


            GrayHistogramEqualization GI = new
                    GrayHistogramEqualization(U_InputFile,
                    U_OutputFile, U_GHE_Value);
        }
    }
    〈두 번째 클래스 끝〉
```

Fig. 11 Input Color Image

Fig. 12 Input Gray Image

Fig. 13 Gray Histogram Equalization GHE = 128 Result Image

Fig. 14 Gray Histogram Equalization GHE = 64 Result Image

Fig. 15 Gray Histogram Equalization GHE = 32 Result Image

Fig. 16 Gray Histogram Equalization GHE = 16 Result Image

Fig. 17 Gray Histogram Equalization GHE = 8 Result Image

Fig. 18 Gray Histogram Equalization GHE = 4 Result Image

5. Reduction

color image는 수천만의 다양한 색상으로 표현된다. Gray image는 color image의 전체적인 외형을 유지하면서 단지 256개 밝기로 표현된다. 그래서 color image를 gray image로 변환하면 다양한 color 색상들이 같은 gray 색상으로 매핑 된다는 생각에서 같은 gray 색상으로 매핑 된 다양한 color들을 평균값을 사용하여 하나의 color로 표현해서 수천만의 다양한 색상으로 표현된 color image를 256개의 밝기로 표현된 color image로 표현하고자 한다.

비록 수천만의 다양한 색상 대신에 단지 256개의 밝기만 사용하지만 gray image가 아닌 color image로 단순화하고자 한다. 이를 위해서는 먼저 color image로 부터 gray image를 얻은 후에, gray image 전체를 읽으면서 같은 gray intensity를 가지는 color image의 color 색상들을 얻어서 rgb로 분해한다. R, G, B 각각에 대해 전채 합을 구한 뒤에 평균을 얻는다. 최종적으로 gray intensity에 해당하는 평균값 형태의 color intensity를 가지고 gray image의 gray intensity 위치에다 해당 평균값 형태의 color intensity를 칠한다.

사용되는 아래 2가지 배열은 아래와 같다.
int[][] ReductionTable = new int [256][4];
ReductionTable은 2차원 배열 형태이며, gray image 전체를 읽으면서 같은 gray intensity를 가지는 color image의 color 색상들을 얻어서 rgb로 분해해서 각각의 합을 계산하는데 사용한다. 이것을 사용해서 최종적으로는 gray intensity에 해당하는 평균값 형태의 color intensity를 구하게 된다. 참고로, [][0] = 갯수, [][1] = red, [][2] = green, [][3] = blue 이다.

Color[] ReplacementColor = new Color [256];

ReplacementColor는 1차원 배열 형태이며, ReductionTable [][1] ~ ReductionTable [][3]을 사용해서 새로 만들어져 칠해지는 칼라 색상이다.

[Exam47_Reduction.java   // 첫 번째 클래스]

```java
import java.io.File;
import java.io.IOException;
import java.awt.Color;
import java.awt.image.BufferedImage;
import javax.imageio.ImageIO;


// color image는 수천만의 다양한 색상으로 표현된다. gray image는
// color image의 전체적인 외형을 유지하면서 단지 256개 색상으로
// 표현된다
// 그래서, color image를 gray image로 변환하면 다양한 color들이
// 같은 gray 색상으로 매핑 된다는 생각에서 같은 gray 색상으로
// 매핑된 다양한 color들을  평균값을 사용하여 하나의 color로
// 표현해서 수천만의 다양한 색상으로 표현된 color image를  256개의
// 밝기로 표현된 color image로 표현하고자 한다
// 비록 수천만의 다양한 색상 대신에 단지 256개의 밝기만 사용하지만
// gray image가 아닌 color image로 단순화하고자 한다

public class ReductionImage {
    private BufferedImage SourceImage = null;
```

```java
private BufferedImage GrayImage = null;
                                // 중간 과정에서 사용하는 gray image
private BufferedImage TargetImage = null;


private int width, height;
private int row, column;
private int red, green, blue;
private int gray;
private Color color, new_color;
private int average;
private int i, j, k;


private File U_InputFile  = null;
                                // 현재 존재하는 이미지 파일
private File U_OutputFile = null;
                                // 새로 만들어질 이미지 파일


private int[][] ReductionTable = new int [256][4];
        // [][0] = 갯수, [][1] = red, [][2] = green, [][3] = blue


private Color[] ReplacementColor = new Color [256];
                                // 새로 만들어져 칠해지는 칼라 색상


// 생성자 - 이 안에서 Reduction image로 변환한다
ReductionImage(String U_InputFile_Path,
```

```
                String U_OutputFile_Path){

// Read in the input image
// 입력 파일에 대한 처리 부분임
U_InputFile  = new File(U_InputFile_Path);
                        // 현재 존재하는 이미지 파일
U_OutputFile = new File(U_OutputFile_Path);
                        // 새로 만들어질 이미지 파일


try{
     SourceImage = ImageIO.read(U_InputFile);
     GrayImage = ImageIO.read(U_InputFile);
          // 이것도 해줘야 에러 메시지 발생하지 않음
     TargetImage = ImageIO.read(U_InputFile);
          // 앞으로 만들어질 파일이므로 source image
          // 파일과 같은 것을 일단 사용함
}
catch(IOException e){
     System.out.println(e);   // 파일을 열다가 문제가 생기면
                        // 에러 메시지를 내보낸다
}


//get image width and height
width = SourceImage.getWidth();
height = SourceImage.getHeight();
```

```
// Make TargetImage to be white image
// 출력 이미지 파일 전체를 하얀색으로 만든다
// 중간 과정에서 사용하는 gray image도 하얀색으로 칠한다
new_color = new Color(255, 255, 255);   // 흰색

for (column = 0; column <= height - 1; column++){
    for (row = 0; row <= width - 1; row++){
        TargetImage.setRGB(row, column,
            new_color.getRGB());


        GrayImage.setRGB(row, column,
            new_color.getRGB());
            // 중간과정에서 사용하는 gray image도
            // 하얀색으로 칠한다
    }
}


// C O N V E R T   C O L O R   T O   G R A Y
for (column = 0; column <= height - 1; column++){
    for (row = 0; row <= width- 1; row++){


        // 픽셀 하나를 읽어온다
        color = new Color(SourceImage.getRGB(row,
            column));
```

```
    // red, green, blue 3가지 성분으로 분해한다
    red = (int) (color.getRed());
    green = (int) (color.getGreen());
    blue = (int) (color.getBlue());

    // 3가지 색의 평균값을 구한다. 평균 결과는
    // 정수형이어야 한다
    average = (red + green + blue) / 3;

    // 3가지 색을 평균값으로 합성해서 gray색을
    // 만든다
    new_color = new Color(average, average,
                average);

    // 중간과정으로 사용하는 GrayImage에 출력함
    GrayImage.setRGB(row, column,
                new_color.getRGB());
    }
  }

// C O N V E R T   T O   R E D U C T I O N
// Step 1) ReductionTable을 초기화 한다
for (i = 0; i <= 255; i++) {
    for (j = 0; j <= 3; j++) {
```

```
                    ReductionTable[i][j] = 0;
        }
}


// Step 2) gray image 영역 전체를 읽으면서
// 읽어온 gray intensity에 대해, 사용 갯수를 증가시키고,
// color image에서  해당 위치의 칼라 색상을 읽어와서
// rgb로 분해하고, red, green, blue 각각에 대해 합산을 한다
for (column = 0; column <= height - 1; column++){
        for (row = 0; row <= width- 1; row++){


                // gray image에서 픽셀 하나를 읽어온다
                color = new Color(GrayImage.getRGB(row,
                                        column));


                // red 성분을 추출한다
                // gray image이므로 red, green, blue 모두
                // 같은 값이어서   red 하나만 사용한다
                gray = (int) (color.getRed());


                // color image에서 해당 위치의 칼라 색상을
                // 읽어온다
                color = new Color(SourceImage.getRGB(row,
                                        column));
```

```java
        // red, green, blue 3가지 성분으로 분해한다
        red = (int) (color.getRed());
        green = (int) (color.getGreen());
        blue = (int) (color.getBlue());

        // ReductionTable에 해당 정보들을 수정한다
        ReductionTable[gray][0]++;
                // 갯수를 하나 증가시킨다
        ReductionTable[gray][1] =
                ReductionTable[gray][1] + red;
                // 각각에 대해 합산을 한다
        ReductionTable[gray][2] =
                ReductionTable[gray][2] + green;
                // 각각에 대해 합산을 한다
        ReductionTable[gray][3] =
                ReductionTable[gray][3] + blue;
                // 각각에 대해 합산을 한다
    }
}

// Step 3)
// ReductionTable[][]에서 현재 사용 중인 gray intensity에
// 대해서만 해당 red, green, blue 각각에 대해 평균값을
// 계산한다
for (i = 0; i <= 255; i++) {
```

```
// 사용 중인 gray intensity인 경우에는 평균값을 구한다
if (ReductionTable[i][0] > 0) {
  for (j = 1; j <= 3; j++) {
    ReductionTable[i][j] =
    (int)(ReductionTable[i][j] / ReductionTable[i][0]);
                              // 평균을 구한다

    if (ReductionTable[i][j] < 0) ReductionTable[i][j] = 0;
    if (ReductionTable[i][j] > 255)
            ReductionTable[i][j] = 255;
  }
 }
}


// Step 4)
// ReductionTable[][] 사용해서 새로 칠할 칼라색상을 만든다
for (i = 0; i <= 255; i++) {
  ReplacementColor[i] = new Color(ReductionTable[i][1],
    ReductionTable[i][2], ReductionTable[i][3]);
}


// Step 5)
// gray image 영역 전체를 읽으면서 읽어온 gray intensity에
// 대해, 해당 위치에다 새로 계산된 새로운 칼라 색상을 칠한다
```

```
for(column = 0; column <= height - 1; column++){
   for(row = 0; row <= width- 1; row++){


      // gray image에서 픽셀 하나를 읽어온다
      color = new Color(GrayImage.getRGB(row, column));


      // red 성분을 추출한다
      // gray image이므로 red 하나만 사용한다
      gray = (int) (color.getRed());


      // 해당 위치에  해당하는 새로 계산된 새로운 칼라 색상을
      // 선택한다
      new_color = ReplacementColor[gray];


      // TargetImage에 출력한다
      TargetImage.setRGB(row, column,
             new_color.getRGB());
   }
}


//write out the result image
// 출력 파일에 대한 처리 부분임
try{
      ImageIO.write(TargetImage, "png", U_OutputFile);
}
```

```java
        catch(IOException e){
            System.out.println(e);
        }
    }
}
```

〈첫 번째 클래스 끝〉

[M_Exam46_GrayHistogramEqualization.java   // 두 번째 클래스]
```java
import java.io.IOException;

public class M_Exam47_Reduction {
    public static void main(String[] args) throws IOException {
        String U_InputFile  = "D:\\U_Java\\Stone.png";
                                // 현재 존재하는 이미지 파일
        String U_OutputFile =
                    "D:\\U_Java\\Stone_Reduction.png";
                                // 새로 만들어질 이미지 파일
        ReductionImage GI = new
                ReductionImage(U_InputFile, U_OutputFile);
        // 객체를 생성하면서 2개의 이미지 파일 이름을 알려준다
    }
}
```
〈두 번째 클래스 끝〉

Fig. 19 Input Color Image

Fig. 20 Gray Image

Fig. 21 Reduction Result Image

6. Enlarge

Enlarge image 명령어는 입력 이미지에 대해 주어진 위치를 중심으로 2배 확대하는 효과를 만든다. 주어진 위치가 한쪽으로 치우치더라도 확대된 이미지가 입력 이미지의 크기를 유지하도록 위치 재조정 과정을 거친다. 전체적인 진행은 아래와 같다.

Step 1) 확대할 위치 (x, y)를 중심으로 해서, 왼쪽 위 (x1, y1), 오른쪽 위 (x2, y2), 왼쪽 아래 (x3, y3), 오른쪽 아래 (x4, y4) 4점들의 초기 위치값을 지정한다.

Step 2) 왼쪽 위 (x1, y1), 오른쪽 위 (x2, y2), 왼쪽 아래 (x3, y3), 오른쪽 아래 (x4, y4) 4점들 각각에 대해, 영역 밖을 나가는지 조사해서 나가게 되면 영역 안으로 들어오도록 위치를 재조정한다.

Step 3) 원본 이미지에서 1/2로 축소된 해당 축소 영역을 출력 이미지 영역에다 2배 간격으로 출력한다.

Step 4) 출력 이미지 영역에서 사이에 비어있는 5 개의 흰 점들을 새로운 색으로 칠한다. 참고로, column = 0 ~ height - 4 이고, row = 0 ~ width- 4 인 이유는 2칸씩 떨어져 있으면서 동시에 좌우 2개의 색상을 사용해서 중간 위치에 있는 새로운 색을 만들기 때문이다

Step 5) 출력 이미지 영역에서 맨 오른쪽 라인과 맨 아래쪽 라인이 흰색이므로 바로 한줄 왼쪽과 한줄 윗쪽 라인들을 각각 복사해서 칠한다.

[Exam48_Enlarge.java   // 첫 번째 클래스]

```java
import java.io.File;

import java.io.IOException;

import java.awt.Color;

import java.awt.image.BufferedImage;

import javax.imageio.ImageIO;


public class EnlargeImage {

    private BufferedImage SourceImage = null;

    private BufferedImage TargetImage = null;


    private int width, height;

    private int row, column;

    private int red, green, blue;


    private int red1, green1, blue1;
                    // 현재 위치에 있는 색상의 rgb
    private int red2, green2, blue2;
                    // 오른쪽 위치에 있는 색상의 rgb
    private int red3, green3, blue3;
                    // 아래쪽 위치에 있는 색상의 rgb
    private int red4, green4, blue4;
                    // 대각선 위치에 있는 색상의 rgb
    private Color color, new_color;

    private int average;
```

```java
private File U_InputFile  = null;
                            // 현재 존재하는 이미지 파일
private File U_OutputFile = null;
                            // 새로 만들어질 이미지 파일
private int x, y;
private int x1, y1;         // 왼쪽 위 점 위치
private int x2, y2;         // 오른쪽 위 점 위치
private int x3, y3;         // 왼쪽 아래 점 위치
private int x4, y4;         // 오른쪽 아래 점 위치
private int i, j;


// 생성자 - 매개변수를 가지는 생성자임
EnlargeImage(String U_InputFile_Path,
        String U_OutputFile_Path, int U_X, int U_Y){

    /////////////////////////
    // Read in the input image
    // 입력 파일에 대한 처리 부분임
    U_InputFile  = new File(U_InputFile_Path);
                            // 현재 존재하는 이미지 파일
    U_OutputFile = new File(U_OutputFile_Path);
                            // 새로 만들어질 이미지 파일
    x = U_X;        // 확대될 중심점의 x 위치
    y = U_Y;        // 확대될 중심점의 y 위치
```

```
try{
        SourceImage = ImageIO.read(U_InputFile);
        TargetImage  =  ImageIO.read(U_InputFile);
                    // 앞으로 만들어질 파일이므로 source
                    // image 파일과 같은 것을 일단 사용함
}
catch(IOException e){
        System.out.println(e);
                    // 파일을 열다가 문제가 생기면 에러
                    // 메시지를 내보낸다
}


//get image width and height
width = SourceImage.getWidth();
height = SourceImage.getHeight();


// Make TargetImage to be white image
// 출력 이미지 파일 전체를 하얀색으로 만든다
new_color = new Color(255, 255, 255);   // 흰색

for(column = 0; column <= height - 1; column++){
  for(row = 0; row <= width - 1; row++){
    TargetImage.setRGB(row, column,
                new_color.getRGB());
  }
```

```
}

// C O N V E R T   T O   E N L A R G E
// Step 1) 확대할 위치 (x, y)를 중심으로 해서
//         왼쪽 위 (x1, y1), 오른쪽 위 (x2, y2),
//         왼쪽 아래 (x3, y3), 오른쪽 아래 (x4, y4)
//         4점들의 초기 위치값을 지정한다
x1 = x - (int)(width / 4) - 1;
y1 = y - (int)(height / 4) - 1;
x2 = x1 + (int)(width / 2) - 1;
y2 = y1;
x3 = x1;
y3 = y1 + (int)(height / 2) - 1;
x4 = x2;
y4 = y3;

// Step 2) 왼쪽 위 (x1, y1), 오른쪽 위 (x2, y2),
//         왼쪽 아래 (x3, y3), 오른쪽 아래 (x4, y4)
//         4점들 각각에 대해, 영역 밖을 나가는지 조사해서
//         나가면 영역 안으로 들어오도록 위치를 조정한다
if (x1 < 0) {
        x1 = 0;
        x2 = (int)(width / 2) - 1;
        x3 = x1;
        x4 = x2;
```

```
        }

        if (x2 > width - 1) {
                x1 = (int)(width / 2);
                x2 = width - 1;
                x3 = x1;
                x4 = x2;
        }

        if (x3 < 0) {
                x1 = 0;
                x2 = (int)(width / 2) - 1;
                x3 = x1;
                x4 = x2;
        }

        if (x4 > width - 1) {
                x1 = (int)(width / 2);
                x2 = width - 1;
                x3 = x1;
                x4 = x2;
        }

        if (y1 < 0) {
                y1 = 0;
```

```
            y2 = y1;
            y3 = (int)(height / 2) - 1;
            y4 = y3;
    }


    if (y2 < 0) {
            y1 = 0;
            y2 = y1;
            y3 = (int)(height / 2) - 1;
            y4 = y3;
    }


    if (y3 > height - 1) {
            y1 = (int)(height / 2);
            y2 = y1;
            y3 = height - 1;
            y4 = y3;
    }


    if (y4 > height - 1) {
            y1 = (int)(height / 2);
            y2 = y1;
            y3 = height - 1;
            y4 = y3;
    }
```

```
// Step 3) 원본 이미지에서 해당 축소 영역을 출력
//        이미지 영역에다 2배 간격으로 뿌리기
for(column = y1; column <= y3; column++){
  for(row = x1; row <= x2; row++){

    // 원본 이미지에서 픽셀 하나를 읽어온다
    color = new Color(SourceImage.getRGB(row,
              column));

    // 출력 이미지 영역에서 2배 확대된 새로운 위치를
    // 찾는다
    i = (row - x1) * 2;
    j = (column - y1) * 2;

    // 출력 이미지 파일에 기록한다
    TargetImage.setRGB(i, j, color.getRGB());
  }
}


// Step 4) 출력 이미지 영역에서 사이에 비어있는 흰 점
// 들을 새로운 색으로 칠하기. 참고로, column = 0 ~
// height - 4 이고, row = 0 ~ width- 4 인 이유는
// 2칸씩 떨어져 있으면서 동시에  좌우 2개의 색상을
// 사용해서 새로운 색을 만들기 때문이다
```

```
for(column = 0; column <= height - 4; column =
    column + 2){
  for(row = 0; row <= width- 4; row = row + 2){
```

// Step 4-1) 중심점을 기준으로 해서 오른쪽 픽셀
//   칠하기
// 출력 이미지 영역에서 픽셀 하나를 읽어온다
color = new Color(TargetImage.getRGB(row,
    column));

// red, green, blue 3가지 성분으로 분해한다
red1 = (int) (color.getRed());
green1 = (int) (color.getGreen());
blue1 = (int) (color.getBlue());

// 출력 이미지 영역에서 색이 칠해져 있는 오른쪽
// 픽셀 하나를 읽어온다
color = new Color(TargetImage.getRGB(row+2,
    column));

// red, green, blue 3가지 성분으로 분해한다
red2 = (int) (color.getRed());
green2 = (int) (color.getGreen());
blue2 = (int) (color.getBlue());

```
// 3가지 색 각각에 대해  평균값을 구한다
red = (int)((red1 + red2) / 2);
green = (int)((green1 + green2) / 2);
blue = (int)((blue1 + blue2) / 2);


// 3가지 색이 0부터 255 사이인지 확인한다
if (red < 0) red = 0;
if (red > 255) red = 255;
if (green < 0) green = 0;
if (green > 255) green = 255;
if (blue < 0) blue = 0;
if (blue > 255) blue = 255;


// 3가지 색을 합성해서 새로운 색을 만든다
new_color = new Color(red, green, blue);


// 출력 이미지 파일에 기록한다
TargetImage.setRGB(row + 1, column,
            new_color.getRGB());


// Step 4-2) 중심점을 기준으로 해서  아래쪽 픽셀
//          칠하기
// 출력 이미지 영역에서  색이 칠해져 있는 아래쪽
// 픽셀 하나를 읽어온다
```

```
color = new Color(TargetImage.getRGB(row,
            column + 2));

// red, green, blue 3가지 성분으로 분해한다
red3 = (int) (color.getRed());
green3 = (int) (color.getGreen());
blue3 = (int) (color.getBlue());

// 3가지 색 각각에 대해  평균값을 구한다
red = (int)((red1 + red3) / 2);
green = (int)((green1 + green3) / 2);
blue = (int)((blue1 + blue3) / 2);

// 3가지 색이 0부터 255 사이인지 확인한다
if (red < 0) red = 0;
if (red > 255) red = 255;
if (green < 0) green = 0;
if (green > 255) green = 255;
if (blue < 0) blue = 0;
if (blue > 255) blue = 255;

// 3가지 색을 합성해서 새로운 색을 만든다
new_color = new Color(red, green, blue);

// 출력 이미지 파일에 기록한다
```

```java
TargetImage.setRGB(row, column + 1,
                   new_color.getRGB());
```

```java
// Step 4-3) 중심점을 기준으로 해서  대각선 오른
//            쪽에 있는 픽셀 칠하기
// 출력 이미지 영역에서  색이 칠해져 있는 대각선
// 픽셀 하나를 읽어온다
color = new Color(TargetImage.getRGB(row+2,
                  column + 2));
```

```java
// red, green, blue 3가지 성분으로 분해한다
red4 = (int) (color.getRed());
green4 = (int) (color.getGreen());
blue4 = (int) (color.getBlue());
```

```java
// 3가지 색 각각에 대해  2가지 값들의 평균값을
// 구한다
red = (int)((red2 + red4) / 2);
green = (int)((green2 + green4) / 2);
blue = (int)((blue2 + blue4) / 2);
```

```java
// 3가지 색이 0부터 255 사이인지 확인한다
if (red < 0) red = 0;
if (red > 255) red = 255;
if (green < 0) green = 0;
```

```java
if (green > 255) green = 255;
if (blue < 0) blue = 0;
if (blue > 255) blue = 255;


// 3가지 색을 합성해서 새로운 색을 만든다
new_color = new Color(red, green, blue);


// 출력 이미지 파일에 기록한다
TargetImage.setRGB(row + 2, column + 1,
                new_color.getRGB());


// Step 4-4) 중심점을 기준으로 대각선 아래쪽에
//           있는 픽셀 칠하기
// 3가지 색 각각에 대해 2가지 값의 평균값을 구함
red = (int)((red3 + red4) / 2);
green = (int)((green3 + green4) / 2);
blue = (int)((blue3 + blue4) / 2);


// 3가지 색이 0부터 255 사이인지 확인한다
if (red < 0) red = 0;
if (red > 255) red = 255;
if (green < 0) green = 0;
if (green > 255) green = 255;
if (blue < 0) blue = 0;
if (blue > 255) blue = 255;
```

```
// 3가지 색을 합성해서 새로운 색을 만든다
new_color = new Color(red, green, blue);


// 출력 이미지 파일에 기록한다
TargetImage.setRGB(row + 1, column + 2,
            new_color.getRGB());


// Step 4-5) 중심점을 기준으로 해서 가운데 중앙에
//          있는 픽셀 칠하기
// 3가지 색 각각에 대해  4가지 값들의 평균값을
// 구한다
red = (int)((red1 + red2 + red3 + red4) / 4);
green = (int)((green1 + green2 + green3 +
                green4) / 4);
blue = (int)((blue1+blue2+blue3+blue4) / 4);



// 3가지 색이 0부터 255 사이인지 확인한다
if (red < 0) red = 0;
if (red > 255) red = 255;
if (green < 0) green = 0;
if (green > 255) green = 255;
if (blue < 0) blue = 0;
if (blue > 255) blue = 255;
```

```
      // 3가지 색을 합성해서 새로운 색을 만든다
      new_color = new Color(red, green, blue);

      // 출력 이미지 파일에 기록한다
      TargetImage.setRGB(row + 1, column + 1,
               new_color.getRGB());
   }
}


// Step 5) 출력 이미지 영역에서 맨 오른쪽 라인과 맨
//         아래쪽 라인이 흰색이므로, 바로 한줄 왼쪽과 한줄
//         윗쪽 라인들을 각각 복사해서 칠한다

// 맨 오른쪽 라인 칠하기
for(column = 0; column <= height - 1; column++){

   // 출력 이미지 영역에서  픽셀 하나를 읽어온다
   color = new Color(TargetImage.getRGB(width - 2,
               column));

   // 출력 이미지 파일에 기록한다
   TargetImage.setRGB(width - 1, column,
               color.getRGB());
}
```

```java
        // 맨 아래쪽 라인 칠하기
        for(row = 0; row <= width - 1; row++){

                // 출력 이미지 영역에서  픽셀 하나를 읽어온다
                color = new Color(TargetImage.getRGB(row,
                                height - 2));

                // 출력 이미지 파일에 기록한다
                TargetImage.setRGB(row, height - 1,
                                color.getRGB());
        }


        //write out the result image
        // 출력 파일에 대한 처리 부분임
        try{
                ImageIO.write(TargetImage, "png",
                                U_OutputFile);
        }
        catch(IOException e){
                System.out.println(e);
        }
    }
}
```

〈첫 번째 클래스 끝〉

```
[ M_Exam48_Enlarge.java   // 두 번째 클래스 ]
import java.io.IOException;


public class M_Exam48_EnlargeImage {
        public static void main(String[] args) throws IOException {
                String   U_InputFile   =   "D:\\U_Java\\Stone.png";
                        // 현재 존재하는 이미지 파일, 570 x 620 크기
                String U_OutputFile =
                                "D:\\U_Java\\Stone_Enlarge.png";
                                // 새로 만들어질 이미지 파일
                int x = 200;   // 확대할 중심점 x
                int y = 300;   // 확대할 중심점 y

                EnlargeImage GI = new EnlargeImage(U_InputFile,
                                U_OutputFile, x, y);

        }
}


<두 번째 클래스 끝>
```

Fig. 22 Input Image

Fig. 23 Enlarge Result Image